現代語の法華経 2

野日敬

現代語の法華経 ❷

目　次

草木のすがたにことよせて（薬草諭品《やくそうゆほん》第五）

その時に世尊《せそん》は、摩訶迦葉《まかかしよう》をはじめとする多くの大弟子たちに向かって、次のようにおおせられました。

「よろしい。よく分かってくれました。迦葉はよく如来《によらい》の真実の功徳《くどく》について説明しました。まことにあなたが言ったとおりです。しかし、如来には、もっともっと量り知れないほどの功徳があるのです。それは、あなた方がどんなに長い年月《としつき》をかけて説き明かそうとしても、とうてい説き尽くすことはできますまい。迦葉よ。よく心得ておきなさい。一三四―五―上 如来は、一切の教えを知り、それを自由自在に支配するものです。如来がどんなことを説いても、それはけっしてむなしいものではありません。必ず真実とつながっているのです。すべての教えが、仏の智慧《ちえ》の方便《ほうべん》にもとづいて説かれるのであります。しかも、如来の説く教えはすべて、あらゆる人間を宇宙すべてのものの実相《じっそう》を知る境地にまで導こうとするものなのであります。

一三四―七―上 如来は、すべてのものごとが、これからどんなところへ行きつくかを、目の前に見るように知っていると同時に、すべての人びとの心の奥の動きまで、自由自在に見通しているのです。また、すべてのものごとの真相を明らかに究め尽くしていて、多くの衆生《しゅじょう》に対して、その一切を知るものの智慧を示されるのであります。

一三四―九―上 迦葉よ。この世界中の山や、川や、谷間や、平地《へいち》に生えている草木や、やぶや、林や、いろいろな薬草《やくそう》などは、種類がさまざまで、名前も形もそれぞれに違っています。

こうしてさまざまな草木が生えている上空《じょうくう》に、密雲《みつうん》がいっぱいに広がって世界中を覆《おお》い、一時に、そしてどこにも同じように、雨を降らせたとしましょう。潤《うるお》いの雨は、どの草、どの木、どのやぶや林、どの薬草にも平等に降りそそぎます。

小さな根も、小さな茎《くき》も、小さな枝も、小さな葉も、また中ぐらいの根も、中ぐらいの茎も、中ぐらいの枝も、中ぐらいの葉も、あるいはまた大きな根も、大きな茎も、大きな枝も、大きな葉も、雨は等しく潤してくれるのです。

一三五―二―中 ところが、それを受ける草木のほうでは、その大小や種類の相違によって受け取り方が違います。同じ雲から同じ雨が降ってきたのにもかかわらず、生長の度合いが違い、咲く花が違い、結ぶ実が違います。つまり、それぞれの草木の性質に応じて、それにふさわしい生長を遂げ、思い思いの美しい花を開き、実を結ぶわけです。

一つの土地から生えたものでも、一つの雲から降った雨の潤いを受けたものでも、草木にはこんな違いがあるのですが、仏の教えと衆生との関係もやはりこれと同様であることを知らなければなりません。

一三五―四―下
迦葉よ。よく理解しなさい。如来はちょうどその大雲《だいうん》のようなものであります。如来がこの世に出現するのは、ちょうど大雲が起こるようなものであり、偉大な教えをもってこの世のありとあらゆる生あるものを救おうとするのは、その大雲が世界中をすみからすみまで等しく覆うようなものであります。

一三五―七―中
そうして、多くの人たちに向かって、このように宣言するのです。

『わたしは真理の体現者であり、世のあらゆる尊敬を受けるに値《あたい》するものであり、智慧は正しくすべてのものごとにゆきわたり、しかも智慧と実践の両面を兼ね具《そな》え、あらゆる迷いを去ったものであり、さまざまの境遇《きょうぐう》を明らかに見分ける能力を持ち、この上もない完全な人格を完成し、すべての衆生を意のごとく教え導くことができ、天上界《てんじょうかい》・人間界《にんげんかい》の大導師《だいどうし》であり、最高の真理を悟ったものであり、この世において最も尊《とうと》い存在であります。わたしは、まだ苦の世界をさまよっているものはそこから救い出し、まだ煩悩《ぼんのう》から逃れ出ることのできないものはそれから解放し、まだ安らかな境地に至る道を知らないものにはその道を教え、まだ本当の悟《さと》りを開いていないものにはそれを与えるものであります』と。

一三五―一〇―下
続いて、このように宣言するのです。

『わたしは、現在の世界をも、未来の世界をも、明らかに見通しているものであります。一切を知り尽くしているものであり、一切を見極めているものであります。また、真実の道を知り、真実の道を開き、真実の道を説くものであります。天上界のものも、人間界のものも、鬼神たちも、みんな教えを聞くために、ここに集まって来るがよろしい』と。

すると、無数の衆生が如来のもとに集まって来て、法を聞きます。如来は、この多くの人たちの教えを受ける力の程度を観察し、また精進《しょうじん》の心を持っているか、怠《なま》けやすい気持の持ち主であるかというような性格の相違をも判断し、それぞれの人が受け入れることのできる程度に応じて、いろいろさまざまに工夫《くふう》して教えを説いてあげるのです。そうすれば、みんな心から喜んで法を聞き、その結果、みんなが楽しみながら善《よ》い利益《りやく》を得るのです。

一三六―三―中　これらの衆生は、教えを聞いた結果、現世《げんぜ》においては心の安らかさを得て幸福な身となり、未来の世においてはよい境界に生まれるのです。すなわち、仏道《ぶつどう》を修行したおかげで楽しい生活を送ることができ、また、その世でもふたたび仏の教えを聞くことができるわけです。そして、そうすることによって次第に迷いや障《さわ》りから離れてゆき、さまざまな方便の教えの中から自分の能力に応じて身につきやすいものを受け入れてゆき、ついには最高の悟りに到達するのであります。

それはちょうど、前に述べた大雲が一切の草木や、やぶや、林や、さまざまな薬草などに雨を降らせれば、それらの植物は、その種類や性質に応じて十分に潤いを受け取り、それぞれの個性を生かしながら生長を遂げるのと同じであります。

一三六―八―上　如来の説法は、本質的には一つであり、同じはたらきを持つものであります。それは、あるいは〈空《くう》（平等）観〉によって人びとの心をものごとの変化にとらわれた迷いから解脱《げだつ》させ、あるいは平等観にとらわれて差別相を見ない偏《かたよ》りから離れさせ、あるいは自他の別を滅した境地に導くのですが、最終的には、あらゆるものごとの実相を平等・差別の両面から完全に見極める最高の智慧にまで到達させるのです。

一三六―九―上 衆生たちは、如来の教えを聞いて、それを信じて心に持《たも》ち、繰り返し繰り返し読《どく》誦《じゅ》し、またその教えのとおり修行していけば、次第次第に人間としての価値が向上していくわけですが、それでも、自分ではそうした功徳を得ていることをなかなか自覚できません。それができるのはよほど境地の高くなった人であって、ただ如来だけは、すべての人びとについて、その人の機《き》根《こん》はどんなものか、外に現れている相《すがた》はどうか、その人そのものはどうか、どんな性質を持っているか、そして、どんなことを一心に念じているか、どんなことを考えているか、どんなことを修行しているか、また、どのように念じ、どのように思い、どのように修行し、どのような方法で念じ、どのような方法で考え、どのような方法で修行し、どのような教えによってどのような悟りに達したかを、手に取るように知っているのであります。

一三七―一―下 多くの衆生は、それぞれに、さまざまな境地にいるわけですが、自分がどんな境地にいるのか分かりません。ちょうど、前に述べたいろいろな植物が、自分の性質の上・中・下を知らないのと同様なのです。ただ如来だけがそれを手に取るようにはっきりと見極めているのです。
一三七―三―下
しかも如来は、それぞれの人びとの境地の違いを見分けると同時に、それらの人びとが受持《じゆじ》しているさまざまな教えが、本来はただ一つであることを知っているのです。たとえば、ある人は空観によってものごとの変化に心を動かされない境地を得、ある人は空という見方だけに偏らず差別相をも正しく見る境地を得、ある人は自他の別を滅した境地に達していますが、それらの教えは、つまるところは、宇宙すべてのものの実相を悟った、最高の境地にまで導くものであります。

その最高の境地に至れば、現象の変化に心を動かされることもなく、ひとりでにすべてのものと大調和する生き方ができますから、それこそ永遠な安らかさ（究竟《くきょう》涅槃《ねはん》）であります。すべての人が、ついには平等にこの境地に帰するのであります。
一三七―五―中
わたしは、すべての衆生がその本質においては平等であり、ついには最高の真理によって平等に救われるものであることを知ってはいるのですが、人びとの心の持ち方や欲望が千差万別であることを観察して、その違いに応じてさまざまに、そして、ゆっくりと段階を追って導いていくのです。それが、その人を本当に救う方法なのであります。そういう理由から、いきなり最高の智慧について説くことをしないわけです。

二三七―六―下 迦葉をはじめとして、ここにいるみんなは、めったにないすぐれた人たちです。わたしが、人に応じ、場合に応じて説く方便の教えの本質をよくつかみ、よく信じ、身につけることができました。なぜ世にすぐれているのかと言えば、もろもろの仏の説く随宜《ずいぎ》の説法というものは、なかなかその真意を悟り、本質を知ることがむずかしいものであるのに、あなた方はそれがりっぱにできたからです」

そして世尊は、これまでにお述べになったことを重ねて強調されるために、次のような偈《げ》をお説きになりました。

如来は、迷いの世界をうち破る、あらゆる教えの支配者。この娑婆《しゃば》世界《せかい》に出現するや、普《あまね》き衆生それぞれの心中ひそかな欲求に応じ、さまざまに法を説き分ける。

二三七―一一―上 如来その身は、この世で最も尊い存在であり、その智慧は、宇宙すべてのものの実相に透徹《とうてつ》する深遠《しんえん》なものである。

ただ、その実相の究極は、急いで説くことをしない。なぜならば、智慧あるものはそれを理解し、信ずることもできるが、智慧浅いものは、疑いの心を起こし、かえって永遠にその道から離れてしまうからだ。

迦葉よ。二三八―一一上 こういう理由から、人びとの能力に応じ、それぞれにふさわしい教えを説き、さまざまな体験を通じて、正しい世界観・人生観を得させるように導くのだ。

迦葉よ。たとえば、あらゆる植物がいっせいに雨を求めている時、にわかに密雲が湧き起こり、大地をくまなく覆ったとしよう。

恵みの雲は潤いに満ち、合い間には稲妻《いなずま》が閃《ひらめ》き、いかずちのひびきが遠くより聞こえてくれば、生あるものすべては喜びに震《ふる》える。

堪《た》え難い暑さに苦しんでいた地上には、たちまち清涼《しょうりょう》の風が吹き起こり、いよいよ低く垂《た》れこめた雲は、手もとどくかと思うほどになる。仏の教えは、ちょうどそのようなものなのだ。

やがて、雨が沛然《はいぜん》として降りいだす。雨は四方に等しく降りそそぎ、無量に流れ落ち、地上いたる所、普く潤いに充《み》ちる。

野に山に、川のほとりに、険《けわ》しい谷間に、生い茂る草木・薬草・喬木《きょうぼく》・灌木《かんぼく》・さまざまの穀草《こくそう》・サトウキビ・ブドウなど、ありとあらゆる植物は、豊かに雨の潤いを受け、乾《かわ》いた土地も活気を取り戻し、薬草も、樹木も、ともどもに茂る。

二三八―八―中 このように、同じ雲から降ってくる同質の水によって、草も、木も、やぶも、林も、それぞれの分に応じて潤いを受けるのだ。

一切の植物は、上・中・下があろうともすべて等しく、そのもちまえの大きさに応じてそれぞれに生長し、根・茎・枝・葉・花・実などのさまざまな色彩も、その一味の雨のおかげで、いっせいにそれぞれの鮮《あざ》やかさを増す。

二三八―一二―中 しかし、一切の植物は、形状・性質においてさまざまに異なり、同じ雨の潤いを受けても、生長や繁茂《はんも》のしかたがさまざまに違う。仏の教えも、そのようなものである。

仏がこの世に出現するのは、譬《たと》えば大雲が空いっぱいに広がり、地上の一切のものを覆うがごとくである。世に出るや、もろもろの衆生のために、すべてのものごとの実相を、それぞれの人にふさわしい方法を選んで説き分けるのだ。

二三九―一二―下 仏は、天上界のもの・人間界のもの・その他一切の生あるものに対し、次のように宣言する。

わたしは真理の体現者であり、人間最高の境地にいるものである。わたしが世間に出現するのは、あたかも旱天《かんてん》に大雲の湧き起こるに似て、すべての人びとの枯木《かれき》のごとき心を潤し、ことごとく苦より離れしめ、心の平安による幸せと、世間的な幸福と、万物と大調和する境地に達して得られる法悦《ほうえつ》と、この三つを余すところなく獲得せしめるのである。

二三九―五―下 天上界のものよ、人間界のものよ、みな一心に聞くがよい。皆ここに来て、この世で最も尊い存在のすがたを、よく見るがよい。

仏こそは至尊《しそん》の存在であり、世にこれに及ぶものはない。仏は衆生を安穏《あんのん》の境界に導くため世に現れ、甘露の清く美しい教えを説くのである。

二三九―八―中 仏の教えは、ただ一つの真実より発し、人びとを苦より解脱せしめ、まことの平安を得させるもの。このただ一つの目的のため、ただ一つの真実をさまざまに敷衍《ふえん》して説く。

二三九―九―中 敷衍して説く方便の教えは、それを手がかりとして、究極の、全人類を救う教えに到達せしめるためにほかならない。

二三九―九―下 わたしは、すべての人を平等に見る。あれとこれとの隔《へだ》てもなく、愛したり憎んだりの差別もない。特定の人に対するとらわれもなければ、えこひいきもなく、偏った嘱望《しょくぼう》を懐《いだ》くこともない。他に対する気持に、何らの制限も、障壁《しょうへき》も設けない。常に一切の人びとに、平等に法を説く。一人のために説くのと同じく、多くの人のためにも説く。

一三九―二二―中　わたしは、教えを説くことにすべてを集中し、他事に関心を持たない。行くも、帰るも、坐るも、立つも、常に教えを説くためであり、かつて疲労も覚えず、怠け心も起こらない。このようにして、雨が地上を潤すように、世間中に教えを豊かに満ちわたらせる。

一四〇―一―下　身分や地位の高い人にも、低い人にも、素行《そこう》の正しい人にも、身持ちの悪い人にも、礼儀正しい人にも、不作法な人にも、正しいものの見方をする人にも、邪《よこしま》なものの見方の人にも、理解力のすぐれた人にも、劣った人にも、まったく同じように教えの雨をそそぎ、常に倦《あ》くことを知らない。

一四〇―三―中　わたしの教えを聞く人は、教えを受ける力の大小や、受け取り方の相違によって、さまざまな境地に達する。

ある人びとは、人間界において世に重んぜられる人となり、徳の高い大王とも交際する身となろう。また、天上に生まれては、帝釈《たいしゃく》・梵天《ぼんでん》ら最高の神々と交わる身となろう。このような人びとは、小の薬草に譬えることができる。

一四〇―五―中 ある人びとは、煩悩をうち払う教えを学び尽くし、心の迷いを去り、常に平安の境地におり、六つの神通力《じんづうりき》を身につけ、特にその中の三種の能力においてすぐれ、独《ひと》り静かな場所にいて瞑想《めいそう》し、縁覚《えんがく》の悟りを得る。このような人は、中の薬草に譬えることができる。

一四〇―七―上 仏の悟りを求め、仏にならずばやまぬと精進を重ね、一心に禅定《ぜんじょう》を行ずる人。これを上の薬草に譬えることができる。

一四〇―八―中 真の意味で仏の子であり、心は仏道を求めることに専《もっぱ》らで、常に慈悲《じひ》の行いをなし、いつかは必ず仏の境地に達しうると、信じて疑うことのない人。これを

一四〇―一〇―上 小樹《しょうじゅ》に譬えることができよう。

神通力を具え、常に教えを説いて、休むことも退《しりぞ》くこともなく、広く無数の人びとを、迷いの世界から悟りの世界へ導き救う、そのような菩薩《ぼさつ》を大樹に譬えることができよう。

一四〇―一一―中 仏の説く教えは、一味の雨のようなものである。衆生の性質・能力によって、

教えの受け取り方が不同であるのは、草木が雨の潤いを受けるのに、さまざまな差異があるのと似ている。

一四一―一―上 今わたしが、この譬えをもって示したように、仏の教えというものは、ただ一つの根本真理を、さまざまな方法によって説くもので、その一つひとつの教えは、仏の智慧を大海に譬えれば、その中の一滴《いってき》のようなものであり、本質的にはすべて等しく、常に大海とつながっているのだ。

一四一―二―下 わたしは、法の雨を豊かに降らして、世間を普く潤す。人びとはその一味の教えを、力の堪えるところに随《したが》って受け、修行する。それはちょうど、さまざまな植物が、その大小に応じて雨の潤いを吸収し、それぞれに繁茂し、それぞれに生長するのと同様である。

一四一―四―下 もろもろの仏の教えは、ただ一つの根本真理にもとづき、普く世間の諸人《もろびと》を、究極的には完全な悟りへ導こうとするもの。その過程において人びとは、低い段階から次第に修行を進め、各々の段階において、大いに得るものがあるのだ。

一四一―六―中 多くの声聞や、縁覚が、静かな場所で修行を積み、完全に迷いを離れ、この姿婆世界に生き死にする人間としては最後的な境地に達し、さらに教えを聞いて悟りを得るのは、さまざまな薬草が、雨の恵みによってそれぞれに生長するのに譬えることができる。

一四一—七—下 もろもろの菩薩が、不動の正しい智慧を有し、三界《さんがい》に生きるあらゆる生あるもののありさまを究め尽くし、しかも最高の教えを求めて修行に励むならば、それはあたかも、小樹ながらスクスクと伸びゆく状態に譬えることができる。

一四一—九—中 常に心定まって散乱《さんらん》せず、さまざまな神通力を得、この世の現象のすべて空なることを知って大歓喜し、身から無数の光明を放ちつつ、もろもろの人を教化《きょうけ》し救済する。そのような菩薩は、大樹であって、しかもますます生長を続ける巨木に譬えることができる。

一四一—一二—下 迦葉よ。今のべたように、たとえば大雲が一味の雨を降らせ、もろもろの草木を育てるように、仏の説く教えは、人間の華《はな》と言うべき仏道修行者を養い、育て、ついには仏の智慧という実を結ばせるものである。

一四二—一—上 迦葉よ。よく知るがよい。わたしが、あるいは過去の実例をあげ、あるいは種々の譬えを引き、仏の智慧を敷衍して示したのは、わたしが取った正しい手段である。諸仏《しょぶつ》もやはり、同じ手段を取られるのである。

とはいえ、今ついにわたしは、みんなのために究極の真実を説こう。もろもろの声聞《しょうもん》たちよ。そなたたちは、まだ完全に迷いを除き去ったとは言えない。しかし、そなたたちがこうして修行していることは、声聞道などというものではなく、実は菩薩の道にほかならないのだ。ゆえに、今後しだいに深く学び、修行を重ねていけば、必ずことごとく仏の境地に達することができるのだ。

仏となる保証を授かる（授記品《じゅきほん》第六）

お釈迦《しゃか》さまは、この偈《げ》を説き終わられますと、やおら聴聞《ちょうもん》の大衆のほうに向きなおられ、次のようにおおせられました。

「わたしの弟子であるこの摩訶迦葉《まかかしょう》は、これからさきたくさんの仏に遇《あ》いたてまつり、帰依《きえ》と感謝のまことをささげ、心から敬い、あがめ尊《とうと》び、徳をたたえ、その量り知れないほどの偉大な教えを広く世に伝えることができましょう。そして、最後に仏となることができるでしょう。仏としての名は、光明如来《こうみょうにょらい》・応供《おうぐ》・正偏知《しょうへんち》・明《みょう》行足《ぎょうそく》・善逝《ぜんぜい》・世間解《せけんげ》・無上士《むじょうじ》・調御丈夫《じょうごじょうぶ》・天人師《てんにんし》・仏《ぶつ》・世尊《せそん》と言いましょう。

国の名を光徳《こうとく》、時代の名を大荘厳《だいしょうごん》と言います。仏の寿命は十二小劫《しょうこう》で、その滅後も、二十小劫という長い間その教えが正しく残り、それに準じた形で教えの残る期間が二十小劫にも及ぶでしょう。

その光徳という国は、国土が非常に美しくて、いろいろな汚れや醜《みにく》いものがなく、ゴロゴロした石ころや、いばらのようなものもありません。人間の大小便《だいしょうべん》も巧《たく》みに処理されて、汚いものがありません。土地は平らで、でこぼこや、穴や、邪魔になるこぶなどがありません。道は瑠璃《るり》で舗装《ほそう》され、りっぱな並木が立ちならび、黄金《おうごん》の縄《なわ》で道の境界を縁《ふち》どり、いろいろな美しい花が天から降ってきて、どこもかしこも清らかで美しい景色です。

その国には、仏の教えを実践し、それを説き広める人が無数におり、また仏の教えを求め学ぶ人も無数にいます。魔事《まじ》すなわち仏の教えをさまたげるようなことも起こらず、魔やその仲間がいても、この国ではかえって仏の教えを護《まも》る役目をするのです」

世尊《せそん》は、重ねてその意味をお述べになるために、次のような偈をお説きになりました。

もろもろの比丘《びく》たちに告げよう。仏の眼《まなこ》をもって見れば、この迦葉は、無数の年月が経った後、必ず仏となることができよう。
迦葉は、後の世において、数えきれぬほどの仏に遇いたてまつり、帰依と感謝の行いをし、仏の智慧《ちえ》を求めて清らかな菩薩行《ぼさつぎょう》を続け、そのようにして、この世で最上の存在である仏を完全に供養することによって、最高の智慧を身につけ、ついに仏となるであろう。

その仏の国土は、清らかにも美しく、大地は瑠璃にて敷きつめられ、道のほとりには輝《かがや》く緑の並木、道の両側は黄金の縄を境《さかい》となし、その光景は、見るだに心に喜びを覚えるものであろう。大気の中には常にかぐわしい香りがただよい、さまざまな珍しい天の花々が降りかかり、いやが上にも国土を美しく飾るのだ。また、土地は広々と、醜い凹凸《おうとつ》などはなく、まことに平坦であろう。

そこには無数の菩薩がいる。心が円満で、柔和《にゅうわ》で、偉大な神通力《じんづうりき》を具《そな》え、諸仏《しょぶつ》の説かれた大乗《だいじょう》の教えをよく信奉《しんぽう》し、よく実践していくであろう。

多くの声聞《しょうもん》たちもいる。あらゆる迷いを除き尽くした清浄《しょうじょう》の身であり、すべて仏の弟子である。その数は、天眼通《てんげんつう》の人でも知ることはできないだろう。

その仏の寿命《じゅみょう》は十二小劫、その教えは二十小劫のあいだ完全に伝わり、後の二十小劫も、それに準じた形で残るであろう。光明如来の事歴《じれき》は、あらましこのとおりであろう。

その時、大目犍連《だいもつけんれん》・須菩提《しゅぼだい》・摩訶迦旃延《まかかせんねん》らは、みんな感激のあまり身を慄《ふる》わせながら一心に合掌し、まじろぎもせずじっと仏さまを仰ぎ見ていましたが、やがて声を揃えて偈を唱え、次のように申し上げました。

大きな勇気をもってあらゆる迷いをうち払いたもう世尊、一切の人間を自由自在に教え導くお力をお具えになったお釈迦さま、どうぞわたくしどもを哀れとおぼしめして、お声をおかけくださいませ。もし、わたくしどもが心の奥深く決定《けつじょう》しておりますことをお察しくださり、お前も仏になれるぞと一言おっしゃってくださいますれば、ちょうど身に甘露《かんろ》がそそがれて熱が取れ、すがすがしい気持になるのと同じように、本当に有難いことに存じます。

わたくしどもは今、譬《たと》えて申せば、飢饉《ききん》で食べ物のない国から逃れてきて、いきなり大王のたいへんなごちそうの膳《ぜん》に向かったようなものでございます。大王が食べよとおっしゃいませんので、食べていいのか悪いのか、オドオドするばかりで、手を出すことができません。もし大王に、食べていいのだと一言おっしゃっていただければ、安心して食べられるのです。

一四六―一―下 それと同じように、わたくしどもは、自分だけが迷いや悩みから離れればいいという考え方がまちがいであったことに気づき、すべての人を平等に見る仏の智慧が最上であることが分かってきたのですが、どうしたらその無上の智慧を具えることができるのか分かりません。一四六—二—下 わたくしども声聞もいつかは仏になれるという仏さまの教えをうかがいながらも、はたしてこの自分が仏になれるのかしらと、何となく心配でございます。それはちょうど、大王のごちそうが目の前にありながら食べられないのと、同じ気持でございます。

一四六—四—上 もし仏さまから、お前も仏になれるぞ、と一言おっしゃっていただけましたら、わたくしどもの心は安らかになることでしょう。仏さまは、いつも世の中の人びとを安らかにしてあげようとお考えになっていらっしゃいます。どうぞ、わたくしどもにも成仏《じょうぶつ》の保証をお授《さず》けくださいませ。そうしますれば、大王の許しを得てごちそうを食べるのと同じように、安心して菩薩の道に励み、世のため人のために尽くすことができます。どうぞ、お願いいたします。

それをお聞きになった世尊は、須菩提だけではなく、多くの大弟子たちの心の中をお見通しになり、比丘たち一同に向かってこうお告げになりました。

「この須菩提は、これからさきたくさんの仏に遇いたてまつり、その仏に帰依と感謝のまことをささげ、心から敬い、あがめ尊び、仏の徳をたたえ、常に正しい清らかな行いをして、菩薩の道を完全に実践し、ついに仏となることができるでしょう。仏としての名を名相《みょうそう》如来・応供・正偏知・明行足・善逝・世間解・無上士・調御丈夫・天人師・仏・世尊と言います。時代を有宝《うほう》と名づけ、国を宝生《ほうしょう》と名づけましょう。その宝生という国は、国土が平らかで、水晶《すいしょう》で敷きつめられ、りっぱな木々によって飾られ、でこぼこや、砂や、小石や、いばらの荒野などはなく、人びとの不浄物《ふじょうぶつ》は巧みに処理されて見えず、うるわしい花が地上いっぱいに咲き乱れ、どこもかしこも清らかで、美しいでしょう。

その宝生という国の人民《じんみん》は、みんなりっぱな建物に住み、豊かな生活を楽しむことでしょう。そこには仏の教えを学ぶ弟子たちが無数にいて、その数はどんな数学をもってしても数えきれず、どんな譬えを用いても言い表せないほどでしょう。仏の教えを説き広める人たちも、また無数にいることでしょう。

名相如来の寿命は十二小劫で、その教えは二十小劫の長いあいだ完全に伝わり、その後も二十小劫の間はそれに準じた形で残るでしょう。名相如来は常に虚空《こくう》に充ち満ちておられ、多くの人びとのために教えを説き、無数の菩薩や声聞たちの悟りを開き、解脱《げだつ》させることでありましょう」

世尊は、今お述べになったことを、偈によって、重ねて次のようにお説きになるのでした。

もろもろの比丘たちよ。今こそ、そなたたちに告げよう。よく聞くがよい。わが大弟子須菩提は、必ず仏の境地に達する。仏としての名号《みょうごう》を名相と言う。須菩提は、今より後、無数の諸仏を供養し、仏の行いを見習って修行を積み、次第に仏道《ぶつどう》を完成していくであろう。そして、最後には、仏としての三十二の美しい相を具え、その姿の、えもいわれぬ荘厳さは、そびえ立つ霊峰《れいほう》に譬えることができよう。

名相如来の国土は、ならぶものもなく清らかで、美しく、その風光《ふうこう》を見れば、だれしも心楽しくならぬものはないであろう。如来はその国土において、無数の人びとを教化《きょうけ》するであろう。

その仏の教えのもとには、多くの菩薩があり、すべて機根《きこん》にすぐれ、仏の教えを説き広めて、休むことも退《しりぞ》くこともないであろう。ゆえに、その国は菩薩をもって荘厳されていると言えるのだ。

また、多くの声聞たちがいて、その数ははかりしれず、皆さまざまな神通力を持ち、さまざまな段階の解脱の修行を身につけ、おのずから人を心服《しんぷく》させずにはおかぬ徳を具えた人たちであろう。

その仏の説法《せっぽう》には、考えられぬほどの不思議な力があって、さまざまな神秘的結果を現されるであろう。そして、ガンジス河の砂の数ほどの天上界《てんじょうかい》・人間界《にんげんかい》の人びとが、みな一心に合掌して、仏の教えを聴受《ちょうじゅ》するであろう。

その仏の寿命は十二小劫、その教えは二十小劫ものあいだ完全に伝わり、後の二十小劫の間もそれに準じた形で残るであろう。

それから世尊は、また比丘たち一同に向かって、こうお告げになりました。

「みんなに言っておきます。この大迦旃延は、これから後、さまざまな方法で無数の仏に帰依と感謝のまことをささげ、心からお仕えし、崇《あが》め尊ぶことでしょう。それらの仏がおなくなりになれば、非常に大きくてりっぱな塔を建て、長くその徳をしのぶよすがにするでしょう。その塔は金《きん》・銀《ぎん》・瑠璃《るり》・硨磲《しゃこ》・碼瑙《めのう》・真珠《しんじゅ》・珊瑚《さんご》などでつくられ、そして、さまざまの花や瓔珞《ようらく》をささげ、香を手に塗《ぬ》り、香を仏像に散じ、香を仏前に焼《た》き、絹の天蓋《てんがい》や、旗・のぼりなどを飾って、供養申し上げるでしょう。

それから後、また無数の仏を同じように供養申し上げるでしょう。と同時に、菩薩の道も完全に行うことでしょう。そして、その功徳《くどく》によって必ず仏となることができるでしょう。名を閻浮那提金光如来《えんぶなだいこんこう》・応供・正徧知・明行足・善逝・世間解・無上士・調御丈夫・天人師・仏・世尊と申します。

その仏の国土は、土地が平らで、水晶で敷きつめられ、りっぱな木々によって飾られ、道の両側は黄金の縄で縁どられ、えも言われぬ美しい花々が地を覆い、至る所が清らかで美しく、眺めただけで喜びを覚えずにはいられない風光でありましょう。

そこには、地獄《じごく》・餓鬼《がき》・畜生《ちくしょう》・阿修羅《あしゅら》の四悪道《しあくどう》に属するものは一人もなく、天上界・人間界の人たちばかりです。たくさんのりっぱな声聞や菩薩たちがおり、その人たちがその国を輝かしいものにしているでしょう。閻浮那提金光如来の寿命は十二小劫で、その教えは二十小劫ものあいだ完全に伝わり、その後も二十小劫の間は、それに似た形で残ることでしょう」

世尊は、今のべられたことを、偈によってさらにお説きになるのでした。

もろもろの比丘たちよ。一心に聞くがよい。わたしの説くところは、みな真実であって、まちがいはない。

さて、この迦旃延は、この後さまざまな方法で、数多くの仏を供養申し上げ、仏が入滅されるや、七宝《しっぽう》の塔を建て、花や香をささげて仏舎利《ぶっしゃり》を供養し、その功徳をもって最後には仏の智慧を得、最高の悟りを開き、仏となるであろう。その国土は清らかに美しく、仏は無数の衆生《しゅじょう》を教化して悟りを開かせ、十方の人びとに崇め尊ばれるであろう。仏徳は、たぐいなく輝かしい光明となって国中を照らし、そのゆえをもって、仏の名は閻浮那提金光と称されるであろう。また、一切の迷いを離れた菩薩・声聞が無数にあって、国の輝きをいやが上にも増すであろう。

次に世尊は、また大衆に向かって、こうお告げになりました。

「皆さんに言っておきます。この大目犍連は、これから先、さまざまな方法で多くの仏を供養申し上げ、敬い尊んでお仕えするでしょう。仏がなくなられると、お徳をしのび、かつ顕彰《けんしょう》するために、必ず広壮《こうそう》な塔を建てておまつりするでしょう。その塔は金・銀・瑠璃・硨磲・碼碯・真珠・珊瑚の七つの貴金属や宝玉《ほうぎょく》でつくられ、それをさまざまな花や瓔珞で飾り、手には香を塗り、仏像には香を散じ、仏前には香を焼《た》き、また絹の天蓋や美しい旗・のぼりをささげて供養するでしょう。

その後さらに、数知れぬ仏を同じように供養した後、仏となることができましょう。名を多摩羅跋栴檀香《たまらばつせんだんこう》如来・応供・正偏知・明行足・善逝・世間解・無上士・調御丈夫・天人師・仏・世尊と申すでしょう。時代の名は喜満《きまん》、国の名は意楽《いらく》。その国土は平らで、水晶で敷きつめられ、りっぱな木々が立ちならび、宝玉のような花が一面に撒《ま》かれており、どこもかしこも清らかで美しく、見ただけで心に喜びを覚えずにはおられません。天上界・人間界の人びとがたくさん住み、菩薩や声聞の数も量り知れないほどでありましょう。その仏の寿命は二十四小劫で、入滅後も四十小劫の間はその教えが完全に伝わり、その後も、四十小劫の間、正法《しょうぼう》に準じた形で残ることでありましょう」

世尊は、今のべられたことを、重ねて偈によってお説きになりました。

わたしの弟子の目犍連は、現世《げんぜ》の生を終えた後も、無数の仏に遇いたてまつり、仏の智慧を求めて諸仏を供養し、恭敬《くぎょう》し、常に菩薩道を修行《しゅぎょう》し、いつまでも仏法《ぶっぽう》を身に持《たも》つであろう。

仏の滅後には、七宝の塔を建て、あたかも塔上の金色《こんじき》の尖柱《せんちゅう》のごとく、仏徳を長く世に顕彰し、また、華・香・伎楽《ぎがく》をもって諸仏の塔廟《とうみょう》を供養し、次第に菩薩の道を完成し、ついに意楽と名づける国において仏となり、名号を多摩羅栴檀の香と称されるであろう。仏としての寿命は二十四劫、その間つねに天上界・人間界のもののために教えを説かれるであろう。

意楽国にはガンジス河の砂の数ほどの声聞があって、(12)三明《さんみょう》・六通《ろくつう》という神通力を持ち、おのずから人を心服せしめる威徳《いとく》を具えているであろう。また、菩薩たちも無数におり、すべて仏の智慧を求める志堅く、怠《おこた》ることなく努力を続け、退転《たいてん》することはないであろう。その仏が入滅されても、四十小劫の間、正法が伝わり、その後四十小劫の間は、それに準じた教えが残るであろう。

諸人《もろびと》よ。わたしの弟子には、この三人のごとく大徳《だいとく》を具《ぐ》したものが、その数五百にものぼる。それらの人びとも、漸々《ぜんぜん》に、必ず仏となる保証を与えられるであろう。未来の世に、ことごとく仏となるであろう。

さて諸人よ。そなたたちは、この世において初めてわたしの教えを聞いたものと思っているだろうが、実はそうではないのだ。前の世から、ずっとわたしの弟子であり、未来世《みらいせ》においても、やはりそうであろう。そのような因縁《いんねん》につき、これから説き聞かせよう。よく聞くがよい。

まぼろしの城（化城諭品《けじょうゆほん》第七）

お釈迦《しゃか》さまは、もろもろの比丘《びく》たちに向かって、こう話しはじめられました。

「遠い遠い昔、考え及ぶこともできないような過去世《かこせ》に、一人の仏《ほとけ》があられました。大通智勝如来《だいつうちしょうにょらい》・応供《おうぐ》・正徧知《しょうへんち》・明行足《みょうぎょうそく》・善逝《ぜんぜい》・世間解《せけんげ》・無上士《むじょうじ》・調御丈夫《じょうごじょうぶ》・天人師《にんし》・仏《ぶつ》・世尊《せそん》と申される仏でありました。その国を好成《こうじょう》と言い、時代を大相《だいそう》と言いました。皆さん。その仏が入滅《にゅうめつ》されてからどれだけの年月《としつき》が経ったか、それはとうてい量り知ることはできません。

譬《たと》えて 一五三―五―下 言いますと、この世界全体の土を砕《くだ》いて、ごく細かな墨の粉のようにするとしましょう。それを持って虚空《こくう》を東のほうへ飛んでゆき、千の国を通り過ぎたらその微塵《みじん》ほどの粒《つぶ》を一つ落とします。それからまた出発して、また千の国を通り過ぎたら、また粒を一つ落とします。こうして、千の国ごとに一つずつ落としていって、その粒が全部なくなるまで行ったら、いったいどれほどの国土を通ったか、皆さん分かりますか。数学の先生やその弟子たちでも、計算してその数を知ることができますか」比丘たちはいっせいにお答えしました。「絶対にできません。世尊。それは不可能です」

そこで、世尊はお話をお続けになります。

一五三―一〇―中
「それでは、比丘たちよ。その粒の一つを落とした国土と、落とさなかった国土とを一緒にまるめて、またそれを砕いて粒にしたとしましょう。その粒の一つを一劫《こう》という年月だとすれば、全体の粒の数ほどの劫とは、いったいどれぐらいの年月だと思いますか。大通智勝如来が入滅されてから今までの年月は、その数よりもっともっと多い、人間の頭ではとうてい考えられないほどの時間なのです。わたしは、如来の智力《ちりき》によって、そういう久遠《くおん》の昔を、今日のように見ることができます」

世尊は、今お述べになったことを、重ねて偈《げ》によってお説きになりました。

はるかな、はるかな昔、大通智勝と申す仏がおわした。どれほどの昔のことか。仮にある人が、三千大千世界《さんぜんだいせんせかい》を摩《す》り潰《つぶ》して墨の粉のような粒とし、それを持って宇宙へ飛び出し、千の天体を過ぎるごとに一粒ずつ落としていったとしよう。めぐりめぐって全部の粒が尽きた時、粒を落とした天体と、落とさなかった天体を、ひっくるめて摩り潰し、また粒としたとしよう。その一粒を一劫という年月だとすれば、大通智勝仏のおわした時代は、宇宙のすべての天体を摩り潰した粒の数よりも、もっと多い劫を経た過去世のことである。その仏が入滅されてからも、また無限の時が経っている。

一五四—一〇—中 一切のものごとを自由自在に見る仏の智慧《ちえ》は、その大通智勝仏がいかなる悟《さと》りを開かれたか、お弟子の菩薩《ぼさつ》・声聞《しょうもん》たちがいかなる悟りに達したかを、現前にあるがごとく見ることができるのだ。

一五四—一一—中 比丘たちよ。仏の智慧はそのように微妙《みみょう》であり、一塵《いちじん》の迷いもなく、何ものにもさまたげられることなく、無限の過去世まで明らかに見通すものである。

偈を説き終わられた世尊は、あらためて比丘たちに説かれはじめました。

「大通智勝仏のご寿命《じゅみょう》は五百四十万億(86)那由他《なゆた》劫という長いものでありましたが、その仏はお若い折、悟りを開く禅定《ぜんじょう》の壇にお坐りになり、瞑想《めいそう》を続けられました。そして、押し寄せてくる魔の軍勢を残らずうち破りになり、もう少しで最高の法を悟ろうというところまで達せられたのですが、そのもう一歩というところがむずかしく、諸仏《しょぶつ》の悟られたような法はなかなか現実にみ心に現れてきませんでした。

大通智勝仏は、そのまま禅定をお続けになりました。一小劫ないし十小劫のあいだ(87)結跏趺坐《けっかふざ》して、心を揺るがすこともなく、からだを揺るがすこともなく、お坐りになっておられました。それでも、諸仏の悟られた最高の悟りは、み心に現れてきませんでした。

ところが、忉利天《とうりてん》という天上界《てんじょうかい》にいる神々たちは、前々から大通智勝仏のために菩提樹《ぼだいじゅ》の下に師子《しし》の座を設けており、それは高さ(88)一由旬《ゆじゅん》にも及ぶものでありましたが、神々が『どうぞこの座においてお悟りを得てください』と申し上げましたので、初めて仏はその座におつきになりました。

また、梵天王《ぼんでんのう》およびその他の神々は、おん座の周りの広い地面に美しい天の花を降らし、それがしおれてくれれば、香り高い風を吹き送ってしぼんだ花を吹き払い、また新しい花を降らせます。一五五—八—下 こうして十小劫のあいだ仏を供養《くよう》し、仏が悟りを開かれるまで続けたのであります。四天王《してんのう》たちは、仏を供養するために天の鼓《つづみ》をうち、そのほかの神々は美しい音楽を奏《そう》して、十小劫の間、仏が悟りを開かれるまでそれを続けたのでありました。一五五—一二—下

皆さん。大通智勝仏は、それからまた十小劫のあいだ禅定を続けられた結果、つ

いに諸仏と同じ最高の悟りがみ心に現れ、仏の智慧を成就《じょうじゅ》されたのでありました。

さて、大通智勝仏がまだ出家なさる前は、ある国の太子で、すでに十六人の王子がありました。長子《ちょうし》の名は智積《ちしゃく》と言いました。王子たちは、いろいろ珍しいおもちゃを持っていたりして、幸福な暮らしをしていたのですが、お父さまが仏になられたことを聞くと、自分たちも仏さまのもとに行って修行《しゅぎょう》しようと、大好きなおもちゃなども投げ捨て、家を後にしたのです。お母さんや叔母《おば》さんたちは、別れを惜しんで、涙ながらに見送りました。

十六王子の祖父にあたる(89)転輪聖王《てんりんじょうおう》もまた、大通智勝仏が悟りを開かれた場所へ赴《おもむ》きました。多くの家臣《かしん》や人民《じんみん》たちも、転輪聖王に従い、その周りを取り巻きながら、共におまいりしました。一同は大通智勝仏のもとに近づき、感謝と帰依《きえ》のまことをささげ、敬《うやま》い尊《とうと》び、そのお徳を賞《ほ》めたたえるために、仏さまのみ足に額《ひたい》をつけて礼拝《らいはい》し、周りをぐるぐる回ってから正面に坐し、一心に合掌《がっしょう》しながら世尊を仰《あお》ぎ見、偈を歌って賛美するのでした。

大いなる徳を具《そな》えられた世尊。世尊ははるかな昔より、長の年月衆生済度《しゅじょうさいど》のために修行を積まれ、諸願のすべてを完成されて、仏となられました。

一五六―九―中 ああ、まことに素晴らしいことです。世尊こそ、世にたぐいなきお方。ひとたびお坐りになれば、十小劫のあいだ身じろぎもなさらない。み心は常に静かで、利己《りこ》を離れ、いまだかつて散乱のさまはあられない。かくて、一五六―一一―中 最高の悟りを究め尽くされ、究極の涅槃《ねはん》を悟られ、あらゆる迷いをぬぐい去った、清浄《しょうじょう》の境地におられます。

いま世尊が、安らかに仏の境地に達せられたのを拝し、われわれはたいへん素晴らしい利益《りやく》を得、大いなる賛仰《さんぎょう》と歓喜に充ち満ちております。

世の多くの人びとは、常に苦しみ悩んでおります。ものごとの本当の相《すがた》を見ることもできず、導いてくれる導師もなく、苦を滅尽《めつじん》する道を知らず、迷妄《めいもう》から解脱《げだつ》するすべも知らず、いや、それを求める意志すらありません。

一五七―一一―下 こうして、苦の暗やみに長く住みついていますと、心はますます堕落《だらく》し、怒りや、貪欲《とんよく》(80)や愚痴《ぐち》や利己心ばかりがつのり、心の平安を静かに喜びうる人は、いたって少なくなります。そして、暗やみから暗やみへとさまよい歩き、み仏のみ名を聞くことさえないのです。

今み仏は、最上の悟りを得られ、あらゆる迷いを離れた安らかな境地に達せられました。そのことは、われわれ人間界《にんげんかい》・天上界のものにとって、最大の利益でございます。それゆえに、こうしてことごとくみ仏のおん前にひれ伏し、帰依申し上げるのでございます。

その時、大通智勝仏のお側に仕えて弟子となっていた十六王子は、偈を歌ってみ仏の徳《とく》を賞めたたえてから、説法をお願いしてこう申し上げました。

『世尊。どうぞ、教えをお説きください。ここにおります一同は、それによって心の平安を得ることでございましょう。どうぞ、天上界・人間界の多くの人びとを憐れとおぼしめして、豊かな法の利益を与えてくださいませ』

そして、重ねて偈を唱えて、次のようにお願い申し上げました」

世尊は、この世に比類なきすぐれたお方。無限の徳を、尊くも美しいお相《すがた》に現され、無上の智慧を成就しておられます。願わくは、世間の者のために教えを説き、われらと衆生と、一切のものをお救いください。われらはいたらぬ者。それゆえ、世尊の無上の悟りを、一五七—一〇—下 われらの機根《きこん》に応じて説き分け、しかも世尊と同じ智慧を成就させてください。

一五七—一一—中 もしわれわれが、み仏と同じ悟りを得ますなら、多くの衆生も、同様にそれが得られましょう。一五七―一二―上世尊は、すべての衆生が心の奥深く念じていることも、衆生がそれぞれ修行している道も、よく見通され、また、それぞれの智慧の程度をも、見分けておられます。それのみか、一五八―一―上一人ひとりがどのようなことを欲し願っているか、どのような善行《ぜんこう》を積んできたか、前世《ぜんせ》にどのような行いをしたか……ということも、ことごとく知り尽くしておられます。

一五八―一―下どうぞ、われわれ一人ひとりにふさわしい説き方で、無上の教えをお説きください。

ここで世尊は、いちだんとあらたまった口調《くちよう》で、お話をお続けになります。

「大通智勝仏が仏の悟りを得られた時、十方の五百万億《ごひやくまんのく》の諸仏の世界は感動にうち震《ふる》い、十方の世界の中ほどにある日月の光も通らないうす暗い場所も、大通智勝仏が悟りを開かれたためにすっかり明るくなりました。そして、そこにいた多くの衆生は顔を見合わせて、今までは自分一人だと思っていたのに、どうしてこんなにおおぜいの人間が急に出てきたのだろうと、口々に不思議がりました。

また、その国の天上界の神々の宮殿は、最上の梵天の宮殿まで、感動にうち震い、天上界を照らすどのような光よりもさらに輝《かがや》かしい光明が、普《あまね》く世界中に照りわたりました。また、東の方のたくさんの国々の中の梵天の宮殿にも、ふだんより倍も明るい光明《こうみょう》が輝きわたりました。そこで、梵天の王たちは、このような光はいまだかつて見たことはない、いったいどういうわけで、こんな光景が現れたのであろうかと、いぶかりました。

もろもろの梵天王は寄り集まって、相談し合いました。その中の救一切《くいっさい》という名の大梵天王が、みんなに向かって偈を唱えて申しました。

今までわれわれの宮殿に、このような光明はなかった。いったいどういうわけで、こんなことになったのだろう。みんなで研究してみようではないか。たいへん徳の高い天神《てんじん》が生まれられたのかもしれない。仏がこの世にお出になったのかもしれない。いずれにしても、この大光明が十方を普く照らすのは、ただごとではあるまい。

そこで、数々の梵天の王たちが、それぞれの宮殿に入ったままで、花皿《はなざら》にいっぱい盛った美しい花をささげ、光明の射してくる西のほうへ飛んで行き、光の源《みなもと》を探し求めました。すると、大通智勝仏が菩提樹《ぼだいじゅ》の下の説法台にお坐りになり、天の神々をはじめ、さまざまな鬼神《きじん》たちや、人間や、動物や、ありとあらゆる生あるものがうやうやしく仏さまを取り囲んでいるのが見えました。そして、十六人の王子が、どうぞ教えをお説きください、と仏さまにお願いしているのです。

それを見た梵天の王たちは、さっそくその場に降り立ち、頭を地につけて仏さまを礼拝し、その周りをぐるぐる回りながら、天の花々を仏さまのおからだに散じ、その花が須弥《しゅみ》山《せん》の高さに積もるぐらいに深い帰依の心を表しました。また、かたわらに高くそびえ立つ菩提樹にも、花を散じて供養しました。それが終わると、梵天の王たちはそれぞれの宮殿を仏さまの前にささげて、『どうぞ、わたくしどもの心を哀れとおぼしめして、お受けになってくださいませ』と、お願い申し上げました。

さらに、梵天王たちは、仏前において声を揃え、一心に偈を唱えて申し上げました。

一六〇―三―上
み仏の世にいでたもうは、はなはだ希《まれ》であり、み仏に遇《あ》いたてまつるのは、まことに難い。

み仏は無量の功徳《くどく》を具えられ、一切のものを救いたもう。天上界・人間界の大指導者として、世間のすべての存在を哀れみ、慈《いつく》しみたもう。もろもろの衆生はその教えを聞き、等しく豊かな利益をこうむる。

み仏よ。われらは、天上のさまざまな国よりまいったもの。天上界の静かで安らかな生活を捨ててここにまいりましたのは、み仏に帰依と感謝のまことをささげ、み教えをうかがうためでございます。

われら、前世に福があってのゆえに、今世《こんぜ》には美しい宮殿に住む身となりましたが、この宮殿をことごとく世尊にささげます。なにとぞ、われらの心をくみ取りたまい、お受けくださるよう、お願いいたしまする。

もろもろの梵天王は、引き続き偈を唱えて、仏徳《ぶっとく》をさまざまに賛嘆し、お願い申し上げました。

願わくは、世尊。尊いみ教えをお説きください。多くの人びとを悟りへ導き、絶対平安への道をお開きください。

さらにまた偈を唱えて、こうお願いいたしました。

この世で最もすぐれたお方。ただお願いです。み教えをお説きください。大慈《だいじ》悲《ひ》の力をもって、苦しみ悩む衆生をお救いください。

それをお聞きになった大通智勝仏は、無言でうなずかれました。すると、その時また、東南方にある多くの国土の梵天王たちも、自分たちの宮殿がかつてない大光明に輝きわたるのを発見したのです。そして、何とも言えぬ喜びで心が躍動するのを感じ、有難い気持を覚えました。多くの梵天王たちは寄り集まって、どうしたわけであろうと話し合いました。

その時、その中の一人、大悲《だいひ》という梵天王が、偈を歌ってみんなに申しました。

何ごとがあって、どんなわけで、このような光景が現れたのであろうか。われわれの宮殿に、このような光明が射したことはかつてない。徳の高い天神が生ぜられたのであろうか。仏がこの世にお出になったのであろうか。ともあれ、これまでにない瑞相《ずいそう》である。みんな一心に、その原因を探し求めようではないか。

千万億の国土を旅しなければならなくてもかまわない。光明の源をたずねて行ってみよう。おそらくは、み仏が世にいでられて、苦の衆生をお救いくださる前兆《ぜんちょう》だとは思うのだが……。

そこで、その多くの梵天王たちは、それぞれの宮殿に入ったまま、花皿にもろもろの天の花を盛り、西北方に飛んで、この瑞相の源を探ってゆきました。すると、大通智勝如来が、悟りを開かれた場所の菩提樹の下で、師子座にお坐りになり、天上界・人間界のものや、鬼神たちや、人間以外のあらゆる生あるものたちがうやうやしくその周りを取り巻いているのを発見しました。そして、十六人の王子が、仏さまに教えをお説きくださるようお願いしているのも見えました。

それを見た梵天の王たちは、さっそくその前に舞い降り、額を地につけて仏さまを礼拝し、お身の回りをぐるぐる回りながら、天の花を仏さまに散じ、その花が須弥山の高さに積もるほどに深い帰依の心を表しました。また、お側にそびえる菩提樹にも、花を散じて供養しました。それが終わると、梵天の王たちは自分たちの宮殿を仏さまの前にささげて『どうぞ、わたくしどもの心を哀れとおぼしめしてお受けになってくださいませ』と、お願い申し上げました。

さらにもろもろの梵天王たちは、仏さまのみ前で、声を揃えて一心に偈を歌って申し上げました。

一六二―九―上

聖者の中の聖者、神の中の神、わがみ仏よ。衆生への哀れみのゆえに、(90)迦陵頻《かりょうびん》伽《が》のみ声をもって法を説きたもうお方。あなたを深く敬い、心から礼拝申し上げます。

世尊は、きわめて希なお方であり、久しい年月の間に、ようやく世にお出になるお方でございます。この一百八十劫の間、われらは仏さまを見たてまつることがありませんでした。そのために、地獄《じごく》・餓鬼《がき》・畜生《ちくしょう》の三悪道《さんなくどう》には衆生が充満し、天界に生まれるものはたいへん少なくなっておりました。

今こそ、み仏は世にお出になりました。み仏は、衆生に真理を見る眼《め》を与えられる大導師。世間のものがすべてを任《まか》せておすがりする人生の教師。一切のものを救い護《まも》り、哀れみを垂《た》れ、利益を与えられる衆生の父。わたくしどもは長いあいだ積んできた功徳のゆえに、いま世尊に遇いたてまつることができました。こんなうれしいことはございません。


このように仏徳を賛嘆した梵天王たちは、口々に偈を歌って、お願い申し上げました。

『世尊。なにとぞ、お願いでございます。一切のものを憐れみくださいまして、み教えをお説きくださいませ。衆生に悟りを開かせ、お救いくださいませ』と。

梵天王たちは、さらに声を揃え、一心に偈を唱えて申し上げました。

一六三―六―上
大聖者よ、み教えをお説きください。すべてのものごとの実相《じっそう》を、明らかにお示しくださり、苦悩の衆生に眼を開かせ、真理を知る大歓喜をお与えくださ い。衆生がそのみ教えを聞けば、あるいは高い悟りを開き、あるいは天上界に生じ、さまざまな悪道《あくどう》に陥《おちい》る者は減少し、善い心・善い行いを堅持する者が増加することでありましょう。

それをお聞きになった大通智勝仏は、無言でうなずかれました。皆さん。その時また、南方にある多くの国土の梵天王たちも、自分たちの宮殿がかつてない大光明に輝きわたるのを見ました。そして、ゆえ知らぬ喜びに心が躍《おど》るのを覚え、何とも言えぬ有難い心持ちになりました。多くの梵天王たちは寄り集まって、どうしたわけで自分たちの宮殿がこのように光り輝くのであろうか、と話し合いました。

その時、その中の妙法《みょうほう》という梵天王が偈を唱えてみんなに申しました。

われわれの宮殿は、素晴らしい光明に輝きわたった。これは理由のないことではあるまい。この瑞相のいわれをたずね求めようではないか。われわれが天界に住んでから百千劫という長い年月が経ったが、こんな瑞相を見たことはない。たいへん徳の高い天神が生ぜられたのであろうか。仏さまが世間にお出になったのであろうか。

そこで、数々の梵天王たちが、それぞれの宮殿に入ったままで、花皿にいっぱい盛った美しい花をささげ、光明の射してくる北の方へ行ってたずね探してみますと、大通智勝仏が菩提樹の下の説法台にお坐りになり、天の神々をはじめ、さまざまな鬼神たちや、人間や、人間以外のあらゆる生あるものが、うやうやしく仏さまを取り囲んでいるのが見え、また、十六人の王子が『どうぞ教えをお説きください』と、仏さまにお願いしているありさまも見えました。

それを見た梵天の王たちは、さっそくその場に降り立ち、額を地につけて仏さまを礼拝し、その周りをぐるぐる回りながら、天の花をおからだに散じ、その花が須弥山の高さに積もるほどに深い帰依の心を表しました。また、かたわらにそびえる菩提樹にも、花を散じて供養しました。それが終わると、梵天の王たちは、それぞれの宮殿を仏さまの前にささげ、どうぞわたくしどもの心を哀れとおぼしめしてお受けくださいませと、お願い申し上げました。

梵天王たちは、さらに声を揃えて、一心に偈を唱えて申し上げました。

世尊にお遇いできますのは、たいへんむずかしいことでございます。世尊は、すべての煩悩をうち破ってくださるお方。百三十劫という長い年月を経て、今こそおすがたを拝することができました。
一六五―三―下 心の渇きはてた多くの衆生に法の雨を降らし、潤いに満たしてくださるお方。世尊こそ、昔から見たことも聞いたこともない、量り知れぬ智慧を成就したお方。三千年に一度咲く優曇華《うどんげ》のように、きわめて希なお方。その世尊に、きょうこそお目にかかることができました。わたくしどもの宮殿は、世尊のお徳の光を受けて、このように美しく輝いております。世尊よ。大慈悲をもって、どうぞこの宮殿をお受けくださいませ。お願い申し上げます。

もろもろの梵天王は、ふたたび偈を歌って仏徳を賛嘆したのち、このように申し上げました。『ただお願いでございます。世尊。どうぞ教えをお説きくださいまして、ありとあらゆる天界のもの・魔・善神《ぜんじん》・出家修行者・在家修行者が、すべて安らかな心を持ちえますよう、しかも悟りを開いて苦から解脱できますよう、お導きくださいませ』と。

それからもろもろの梵天王は、ふたたび声を揃え、一心に偈を歌って申し上げました。

天上界のものも、人間界のものも、等しく崇《あが》める尊いお方よ。どうぞ、この上もない教えをお説きください。一六五—一二—中 普く世間に大法を説き広め、大法の雨を降らして、多くの衆生に悟りを開かせてください。わたくしどもは、ことごとく仏さまに一切をお任せして、ただ教えを請《こ》うものでございます。どうか奥深い教えをお聞かせくださいませ。

それをお聞きになった大通智勝仏は、無言でうなずかれました。西南方および下方の梵天王たちも、やはり同じように大通智勝仏のみもとにまいって、教えを請いました。

その時、上方にある多くの国土の大梵天王たちも、自分たちの住んでいる宮殿が大光明に輝き、昔から今まで経験したこともない光景を現出したのを見て、喜びに心を躍らせ、言い知れぬ有難さを覚えて、一同寄り集まり、どうしてわれわれの宮殿にこのような光明が射したのであろうか、と話し合いました。

その中の一人、尸棄《しき》という梵天王は、みんなに向かって偈を唱えて言いました。

　どうしたわけで、われわれの宮殿にこんな心に染みるような有難い光明が輝き、いまだかつてない美しさを現したのであろう。このような素晴らしい瑞相は、昔から今まで聞いたことも、見たこともない。たいへん徳の高い天神が生ぜられたためであろうか。それとも、仏さまが世にお出になったせいであろうか。

そこで、多くの梵天王は、花皿にもろもろの天の花を盛り、宮殿に入ったまま下のほうに飛んで行って、その瑞相のもとをたずね探しましたところ、大通智勝如来が、悟りを開かれた菩提樹下の台にお坐りになり、この世のありとあらゆる生あるものがその周りをうやうやしく取り囲んでいるのが見えました。そして、お弟子の十六王子が、仏さまに教えをお説きになるようお願いしているのも見えてきました。

梵天王たちは、さっそくその場に降り立ち、仏さまのみ足に額をつけて礼拝し、その周りをぐるぐる回って尊敬の意を表し、おからだに天の花を散じて供養申し上げました。その花は、須弥山の高さほどにも積もりました。また、仏さまをお守りしている菩提樹にも花をふりかけて供養しました。それが終わると、自分たちの宮殿を仏さまの前にささげて、『どうぞ、わたくしどもを哀れみくださり、ご功徳をたまわるお心をもって、このささげものをお受けくださいませ』とお願い申し上げました。

それからもろもろの梵天王は、仏前において一心に声を揃え、次のような偈を唱えるのでありました。

一六七―九―上 ああ、素晴らしいことだ。有難いことだ。世を救いたもうみ仏のおはたらきをつらつら拝すれば、自ら苦悩の三界に閉じこめられているもろもろの衆生に、求道を勧め、励まされ、その苦悩の世界から引き出してくださるのだ。

一六七―一〇―上 み仏は、普く一切にわたる、すぐれた智慧の持ち主。天・人の中において最も尊いお方。多くの衆生を哀れみたまい、一六七―一〇―下 甘露のような妙薬《みょうやく》である教えを開かれ、広く一切のものを悟りへ導いていてくださるのだ。

今日までの長い長い年月は、み仏のいますことなく、むなしく過ぎた。世尊がいでたもうまでのこの世は、十方が暗黒に閉ざされ、憤怒《ふんぬ》・貪欲・愚痴が勢いを増すばかりで、一六八―一一―上 利己心は盛んに横行し、天界人のごとき清らかな心の持ち主は、まことに少なくなっていた。

一六八―一一―中 多くの悪業を積んだ衆生たちは、死んでも地獄・餓鬼・畜生・修羅《しゅら》などの悪い境界に堕《お》ちていった。

み仏のもとで法を聞くこともなく、常に不善を行じ、そのゆえに、体力も智慧も、衰《おとろ》えていくばかりであった。
一六八―三―上 罪の行為をなし続けるために、幸せを失い、幸せを願い想う心すら喪失《そうしつ》し、邪《よこしま》な思想の中に住みつき、善へ赴く手がかりさえ目に入ることがなかった。それゆえに、み仏の教化《きょうけ》をこうむる契機をつかむこともなく、常に悪道に堕ちて苦しんでいたのだ。
一六八―四―下 ものの正しい見方も知らぬ世間の人びとの、その目を開かせるために、み仏はついにいでたもうたのだ。
一六八―五―下 もろもろの衆生を哀れとおぼしめしになればこそ、わざわざこの濁《にご》りに満ちた俗世間にお生まれになり、苦の世界を渡られることによって、初めてそれを超えた正しい悟りを完成されたのだ。

み仏よ。われらにとって、これにまさる喜びはありません。一切の衆生も、かつて経験したことのない有難い思いに、ただただ嘆声を発するばかりでございます。

われらが宮殿は、み仏の徳の光を受けて、美しく輝きわたっておりますが、これをすべて世尊にささげます。なにとぞ、われらが心根をおくみ取りくださいまして、お受けくださいませ。

一六八—八—下 われらが願いとしますところは、この功徳を普く一切に及ぼし、われらと衆生とみな共に、等しく仏の境地に達したいということでございます。

それからもろもろの梵天王は、ふたたび偈をもって仏徳を賛美《さんび》し、そして、このようにお願い申し上げました。

どうぞ世尊。お願いでございますから、教えをお説きくださいませ。世尊の教えは、きっと多くの人びとの心に安らぎを与え、悟りを開かせ、苦の世界から解脱させるものでございましょう。

もろもろの梵天王は、またも偈を唱えて申し上げました。

世尊。どうぞ教えをお説きください。甘露の妙薬のような尊い教えをお説きになり、苦悩にひしがれている人びとを導き、大いなる悟りへの道をお示しください。どうぞわたくしどもの願いをお聞きとどけになり、衆生を哀れむみ心から、無限の過去世の修行によって悟られた真理を、言いようもなく美しいみ声をもって、分かりやすくお説きくださいませ。

一六九—五—上 そのとき大通智勝仏は、十方のもろもろの梵天王および十六人の王子の願いをお聞きとどけになって、その場で〈四諦《したい》〉の教えを三とおりにお説きになりました。それは、どのような出家修行者も、在家修行者も、もしくは天上界のものも、鬼神も、天の神々も、その他いかなるものも説くことのできない、尊い教えでありました。すなわち、苦の諦《さと》り・苦の原因の諦り、苦の滅の諦り・苦を滅する道の諦りの教えがそれです。

それから、仏さまは、十二因縁《じゅうにいんねん》の教えを詳しくお説きになりました。それは次のような教えでありました。

『この宇宙のすべてのものごとをとらえるにあたって、そのとらえ方の根本に〈無《む》明《みょう》〉すなわち正しい智慧がなかったために、さまざまな迷いを生じ、その迷いにもとづく〈行《ぎょう》〉を長いあいだ行ってきました。

そういった行為が積み重なって、ものごとを知り分ける大本の力である〈識《しき》〉もゆがめられた形で生じました。それが発達して、現象としての自分という存在すなわち〈名色《みょうしき》〉を意識するようになったのです。その〈名色〉はだんだん発達して、眼《げん》・耳《に》・鼻《び》・舌《ぜっ》・身《しん》の五官とその五官で感じたものの存在を知り分ける意《い》に分かれますが、それを〈六入《ろくにゅう》〉と言います。

その〈六入〉があるために、〈識〉と〈名色〉との接触すなわち〈触《そく》〉によってものごとをあれこれと識別《しきべつ》するようになり、識別するようになれば、さまざまな感情すなわち〈受《じゅ》〉が起こります。感情が起これば、自然にものごとに対する愛《あい》・憎《ぞう》の念すなわち〈愛〉が起こります。

愛が起これば、それをどこまでも追い求める愛欲の心が、それをしっかりつかまえておこうとし、反対にいやなものは何とかして遠ざけようとする憎悪の心が、それから逃れようとします。そういう取・捨の行為、すなわち〈取《しゅ》〉が生じます。〈取〉があるために、人によってそれぞれ違った感情・違った考え・違った主張、すなわち差別心〈有《う》〉が生ずるのです。

こういう差別心があるために、人と人との間に対立が起こり、争《あらそ》いが生じ、苦の人生が展開し、次の世にまた〈生《しょう》〉として生まれるのです。そして〈生〉があればこそ、さまざまな憂《う》・悲《ひ》・苦《く》悩《のう》が引き起こされ、そうしているうちに〈老《ろう》〉がしのびより、ついには〈死《し》〉がやってくるのです。

したがって、これを逆に考えてゆきますと、〈無明〉が滅すれば〈行〉も滅します。〈行〉が滅すれば〈識〉も滅します。〈識〉が滅すれば、〈名色〉も滅します。

〈名色〉が滅すれば、〈六入〉も滅します。〈六入〉が滅すれば〈触〉も滅します。〈触〉が滅すれば、〈受〉も滅します。〈受〉が滅すれば〈愛〉も滅します。〈愛〉が滅すれば〈取〉も滅します。〈取〉が滅すれば〈有〉も滅します。〈有〉が滅すれば〈生〉も滅します。〈生〉が滅すれば〈老死〉も憂悲・苦悩も滅するのです』

　仏が多くの人びとのためにこの法門《ほうもん》をお説きになりますと、その無数の人たちは、一七〇—四—下 今まで持っていた誤った観念《かんねん》を投げ捨て、無我《むが》となってこの教えを受け取りましたので、心がすべての迷いから解脱することができ、真理に精神を集中して動揺することのない力や、さまざまな神通力《じんづうりき》を得、いろいろな段階の解脱のための修行を行うことができるようになりました。

　二度目・三度目・四度目にこの教えをお説きになった時も、ガンジス河の砂の数ほどの衆生が、何ものにもとらわれることなくそれを信受《しんじゅ》しましたので、心がすべての迷いから解脱することができました。その後も、さらに量り知れないほどのお弟子たちが、この教えを聞いて解脱を得ました。

　その時、一七〇—八—下 十六人の王子はまだ少年でありましたが、出家して沙弥《しゃみ》（少年僧）となりました。みな教えを受け取る力が鋭く、智慧が明らかでしかも徹底していました。

なぜならば、この十六王子は前の世でも無数の仏にお仕えし、清らかな修行を積み、そして等しく仏の悟りを求めてきた人たちであるからです。

十六人の沙弥は、仏にこう申し上げました。『世尊、ここにおります徳の高い多くの声聞たちは、みんな迷いを離れた境地に達しております。どうぞ、わたしくどものために、最高の悟りへ達する教えをお説きください。わたくしどもは、教えを聞きましたならば、けんめいに学び、修行いたします。世尊。わたくしどもは、仏さまと同じような智慧を得たいと、心の底から強く願っております。わたくしどもの心の奥深く念じておりますことは、仏さまがよくご承知のことと存じます』と。

その時、仏前にあった転輪聖王の率いる家来《けらい》の多くのものが、十六人の王子の出家に心をうたれて、自分たちも出家したいと申し出ました。王はそれを許可しました。そこで大通智勝仏は、十六人の沙弥の願いをお聞き入れになって、二万劫を過ぎた後、多くの聴聞《ちょうもん》の人たちに向かって、今わたしが説いているのと同じ〈妙法蓮《みょうほうれん》華《げ》・教菩薩法《きょうぼさつぽう》・仏所護念《ぶつしょごねん》〉という、すべての人を最高の悟りへ導く教えをお説きになりました。

一七一—五—下

仏がこの教えを説き終わられますと、十六人の沙弥は、仏の悟りを得るために一心にその教えを信受し、心に持《たも》ち、繰り返し繰り返し学び、そしてついに徹底的に理解しました。この教えをお説きになった時、十六人の菩薩沙弥は皆それを信受しました。多くの声聞衆の中にも、それを理解し、信受できた人がありました。しかし、そのほかのさまざまな人たちは、皆その教えに対して、あるいは疑いを覚え、あるいはわけが分からずに当惑《とうわく》を感じました。

大通智勝仏は、八千劫のあいだ休むこともなく、この教えを説き続けられました。その後、静かな室にお入りになり、八万四千劫という長いあいだ三昧《さんまい》に入っておいでになりました。十六人の沙弥は、仏が静かに禅定《ぜんじょう》に入られたのを見て、自分たちがそれぞれ説法の座にのぼり、出家・在家の修行者のために〈妙法蓮華〉の教えを、聞く人の程度に応じていろいろ違った方法で説き分け、その説法がまた八万四千劫のあいだ続けられました。

一七一―一二―下 十六人の菩薩沙弥は、一人ひとりがそれぞれに、数えきれぬほどの衆生を迷いの世界から救い出し、次第に仏法受持《ぶっぽうじゅじ》の心が深まるように導いて、ついに最高の悟りを成就しようという決意を起こさせたのであります。

一七二―一二―上 ところで、三昧に入っておられた大通智勝仏は、八万四千劫を過ぎると、やおらお立ち上がりになり、静かにゆったりと説法の座におつきになりました。そして、大衆《たいしゅう》に向かって次のようにおおせになりました。

『この十六人の菩薩沙弥は、希に見るりっぱな人たちです。教えを受け取る力が鋭く、智慧が明らかで徹底しています。すでに前世から数知れぬ仏を供養し、そのもとで修行し、仏の智慧を受持し、それを衆生に説いて教えに引き入れた人たちです。皆さんも、しばしばこの人たちに近づき、敬慕し、教えを聞いて実践しなさい。なぜならば、もしもろもろの声聞・辟支仏《びゃくしぶつ》・菩薩の人たちがこの十六人の菩薩の説かれる教えを信じ、心に持《たも》って破ることがなければ、必ずこの世のあらゆるものごとの実相を明らかに知る仏の智慧を得ることができるからであります』

大通智勝仏は、さらに多くの出家修行者たちにお告げになりました。『この十六人の菩薩は、常に自ら進んで、喜んで妙法蓮華の教えを説きました。その功徳をもって、それぞれの菩薩が教化した無数の衆生は、いくたび生まれ変わってもその菩薩のもとに生まれ合わせ、それに仕えて教えを聞き、ことごとく信解《しんげ》したのでありまます。そのおかげで、数知れぬ仏に遇いたてまつることができ、しかもそれは現在まで続き、これからも尽きることはありません』

一七三―一―上
もろもろの比丘たちよ。今こそ皆さんに明らかにしましょう。大通智勝仏のお弟子の十六人の沙弥は、残らず仏の悟りを得られ、十方の国土において現在も教えを説いておられるのです。そして、それぞれ数知れぬ菩薩や声聞を弟子として率いておられるのです。

二人の沙弥は東方の国土で仏となっておられます。お一人は阿閦《あしゅく》と申し、歓喜国《かんぎこく》という所におられ、お一人は須弥頂《しゅみちょう》と申し上げます。東南方にお二人の仏がいらっしゃいます。お一人を師子音《ししおん》、お一人を師子相《ししそう》と申し上げます。南方にお二人の仏がおられます。お一人を虚空住《こくうじゅう》と申し上げ、お一人を常滅《じょうめつ》と申し上げます。西南の方にお二人の仏がいらっしゃいます。お一人を帝相《たいそう》、お一人を梵相《ぼんそう》と申し上げます。

西方にお二人の仏がいらっしゃいます。お一人を阿弥陀《あみだ》と申し上げ、お一人を度《ど》一切世間苦悩《いっさいせけんくのう》と申し上げます。

西北方にお二人の仏がおられます。お一人は多摩羅跋栴檀香神通《たまらばっせんだんこうじんづう》と申し上げ、お一人は須弥相《しゅみそう》と申し上げます。北方にお二人の仏がいらっしゃいます。お一人は雲自在《うんじざい》と申し上げ、お一人は雲《うん》自在王《じざいおう》と申し上げます。

東北方には壊《え》一切世間《いっさいせけん》怖畏《ふい》と申す仏がおられます。第十六番目が、この釈迦牟尼《しゃかむに》仏《ぶつ》であります。すなわち、娑婆国土において仏の悟りを得たのであります。

一七三―一〇―下 比丘たちよ。わたしたちが過去において沙弥であった時、前に言ったように、それぞれ量り知れぬほど多くの衆生を教化しましたが、それらの衆生がわたしに従って教えを聞いたのは、本人たち自身はそれを知らなかったのですが、実はみな最高の悟りを得るためだったのです。

その人びとのうち、現世《げんぜ》においてもやはり声聞の境地にあって、引き続きわたしの教えを聞いているものがあります。その人びとをもわたしは、終始一貫して最高の悟りを得させるために教化しているのであります。ですから、今ここでわたしの教えを聞いて、仏の智慧に達しようという志を起こせば、次第次第に悟りを深めていって、ついにそれを達成することができましょう。なぜこのように年月と努力が必要であるかと言えば、仏の智慧というものはまことに深遠《しんえん》であって、なかなか信じ難く、理解し難いものであるからです。

一七四―三―上 さて、その時わたしが教化した無数の衆生というのは、とりもなおさずあなたがた自身であり、また、わたしが入滅した後の未来世《みらいせ》においてわたしの教えを学ぶ弟子たちにほかならないのです。

わたしが入滅した後の未来世においてわたしの教えを学ぶものが、この法華経《ほけきょう》の教えを聞く機会に恵まれないために、菩薩のなすべき行法《ぎょうぼう》を知らず、またそれを自ら覚《さと》ることもなく、ただ自分が学び得た教えによって迷いを離れ、安心の境地に達することもあるでしょう。

一七四―六―中 わたしは未来世においては、別の名の仏となって、他の国々に出ることでありましょうが、さきに述べた人びとは、安心の境地に達しているとはいえ、それに満足せず、完全最高の悟りを求める心を起こし、必ずや、わたしの国土においてこの法華経の教えを聞くことになりましょう。

一七四―八―中 完全最高の悟りは、すべての人間が完全に救われるための教えによらなければ得られるものではありません。それが仏の教えにほかならないのであって、他に仏の教えがあるわけではありません。もろもろの仏がさまざまな教えを説かれるのは、けっしてほかの教えではなくて、そのただ一つの教えを、人に応じ場合に応じて説き分けられるのに過ぎないことを知らなければなりません。

一七四―九―中 もろもろの比丘たちよ。如来が自らの入滅の時が近づいたことを知り、そして一同が心清らかに、教えに対する帰依も理解も堅固《けんご》であり、〈空法《くうぼう》〉を明らかに悟り、しかも禅定の修行が深められたことを知れば、その時こそ、もろもろの菩薩や声聞衆を集めて、この教えを説くのであります。

一七四―二―中 世間というものは、人と人、人と自然との関係によって成立しているものでありますから、個人の悟りである声聞・縁覚《えんがく》の境地に達しえたからといって、それで完全な平安を得たということはできません。すべての人を悟らせて、すべての生あるものを救う仏の智慧を得てこそ、それができるのです。

一七四―二―下 比丘たちよ。よくお聞きなさい。如来が説く方便《ほうべん》の教えは、衆生の性質の奥底を深く見抜いた上のものであります。多くの人びとが、五官の欲望にとらわれて、低い教えしか願っていないのを知っていますので、そういう人たちのためには、現象へのとらわれから離れることによって心の安らかさを得ることを教えるのであります。それは衆生の性質にピッタリ合った教えですから、聞く人は心からそれを信受するのです。譬えて言えば、こういうことです。

一七五―二―下 ある所に、非常に長い、険しい困難な道があって、人里遠く離れており、まことに恐ろしい所であります。その道を貴重な宝を求めるために進んでいくおおぜいの人びとがいます。そして、この一行の中に一人の導師があって、その人は智慧もすぐれ、ものごとに明るく、この道がさきざきどうなっているかをよく知っているのです。その導師は、一同を引き連れて、困難な道を通り抜けようとしているのです。

ところが、引き連れている人びとが、途中で弱気を起こしてしまいました。そして導師に向かって、『わたくしどもは、すっかりくたびれてしまいました。それに、この道は何だか恐ろしくて、もうとてもこれ以上進むことはできません。さきはまだ遠いことですし、今からもと来た道を引き返したいのです』と言いました。

この導師は、人と場合に応じて巧みに導く手段に通じた人でありましたが、心の中で――ああ、かわいそうな人たちだ。どうして、今ひといきの所にある大きな宝物を手に入れないで、むなしく引き返そうとするのだろう――と思いました。

そう考えた導師は、方便の力をもって、道程《みちのり》の半ばより少し向こうに、大きな都城《じょう》をまぼろしとして現しました。そして、一同に向かい、『皆さん、もう恐れることはありません。引き返す必要もありません。あの大きな城の中に入って自由にしなさい。あの中に入りさえすれば、すっかり安穏《あんのん》になります。そして疲れが癒《い》えてから、欲しい人は宝物を取りに行って、それからうちへ帰ればいいでしょう』と言いました。

疲れきっていた一同は、それを聞いてたいへんに喜び、『こんなうれしいことはない。やっとのことでこの難儀な旅を終わって、楽になることができる』と、口々に言い合いました。すると、ひとりでに元気が出て、その城にたどりつくことができました。そして、城に入ると『やれやれ、助かった。これで安楽《あんらく》だ』という気持になりました。

しばらくして、みんなの疲れがすっかり癒え、気分も一新したのを見た導師は、たちまちそのまぼろしの城を消してしまい、一同に向かって『さあ、行きましょう。宝のある場所はもうすぐそこです。今までここにあった城は、実はわたしが仮に造ったものだったのです。ここで一休みして、気を取り直させるために造ったものに過ぎません』と言いました。

一七六―六―中

比丘の皆さん。如来の教化も、ちょうどこの譬えのとおりであります。如来は、いわば皆さんの大導師であります。現象の変化にとらわれて生ずるさまざまな煩悩は、いわば、険しく長い山路《やまみち》のように困難なものではありますけれども、それは必ず滅し去ることのできるものであることを、如来はよく知っているのです。それを滅し去る究極の道は、仏の智慧を得ることであります。

一七六―八―中 しかし、もし最初から、仏の智慧という最高の境地を示せば、衆生はかえって仏に背を向け、親しく教えを聞こうとはしなくなってしまうでしょう。なぜならば、衆生は――仏の智慧を成ずるなど、たいへん遠い向こうのことだ。よほど久しいあいだ苦しい修行を勤めなければ達しえるものではない――と、あきらめの気持を起こすからです。

一七六―一〇―中 仏は、衆生がこのような弱々しい、低い心しかもっていないのを見て、それを巧みに導く手段として、修行の途中の休息のために、声聞と縁覚の二つの安心《あんじん》の境地を説くのであります。

一七六―一一―下 もし衆生が教えのとおり修行して、声聞・縁覚の安心の境地に達することができれば、その時こそ如来は次のように説くのです。

『皆さんは、まだ自分のしていることが本当には分かっていないのですよ。あなた方の現在の境地は、もはや仏の智慧に近いのです。よく観察し、考えてごらんなさい。あなた方が得ている安心は、本当の涅槃《ねはん》ではありませんが、如来はあなた方を導く手段として、ただ一つの悟りに達する道を三つに説き分けるのであって、あなた方は、その途中の境地にいるわけです』と。

それはちょうど、あの導師が、一行を休息させるためにまぼろしの城を造り、みんなの疲れが癒え、気分を新たにしたのを知って——宝のある場所はもうすぐそこにあるのだ、この城はわたしが仮に造ったものなのだ——と告げるのと、同じようなものであります」

このように説き終えられた世尊は、今お述べになったことを、偈によって、さらに重ねてお説きになりました。

大通智勝仏は、無上の悟りを開こうと、十劫のあいだ禅定を続けられた。しかし、悟りは仏のみ心に現れてこなかった。

天の神々や鬼神たちは、たえず天の花を散じ、かのみ仏を供養し、成道《じょうどう》をお助けしようと努めた。天界の住人たちも、天の鼓をうち、さまざまな美しい音楽を奏し、かぐわしい風を吹き送り、しぼんだ花を吹き払っては新しい花を雨のように降らし、み仏の周りを荘厳《しょうごん》した。

こうして十小劫の時が経ち、ついに仏の悟りを成就された。天界・人間界の人びとにとっては、躍り上がりたいほどの喜びであった。

その時、大通智勝仏の十六人の王子は、身内の多くの人びとに囲まれながら、み仏のおん前に進み、み足に額をつけて礼《らい》し、教えを説かれんことを願って申し上げた。

「最高の聖者よ。なにとぞ教えの雨を降らせ、われらを満ち足らせてください。み仏に遇いたてまつるのは、至難のことでございます。み仏は、久遠の年月を経て、ようやくこの世に出現され、すべての生あるものに悟りを開かせるため、一切を震い動かされるのです」

そのとき東方のもろもろの世界、その天上の神の宮殿は、かつて見られぬ大光明に輝きわたった。神々はこの瑞相を見て、その源をたずね求め、ついにみ仏のみもとに至った。花を散じてみ仏を供養し、宮殿をささげ、教えを説かれんことを請い、偈を歌って仏徳を賛嘆した。み仏は、まだ時いたらぬとおぼしめして、黙然とお坐りになっておられました。

西方・南方・北方の三方にも、東南方・東北方・西南方・西北方の四維《しゆい》(91)にも、また上方と下方にも、同じようなことが起こった。それぞれの神々は、花を散じ、宮殿をささげ、「世尊に遇いたてまつるのは、至難・希有《けう》のことでございます。なにとぞ大慈悲をもって、広く甘露の教えの門を開き、至上の教えをお説きください」と、お願い申し上げた。

無限の智慧の持ち主であられる世尊は、多くの人びとの請《ねが》いを入れ、四諦および十二因縁の教えを説きたもうた。すなわち、一七八―一〇―上「無明から老死に至るまで、すべては生ずる縁があればこそ生ずる。この真理によって、もろもろの過《あやま》ちや悩みの原因をよく知るがよい」と。この教えを聞いた無数の人びとは、一切の苦を除き尽くし、阿羅漢《あらかん》の身となった。

二度目に同じ説法をなさった時も、無数の人びとが、とらわれなくその教えを受け、みな阿羅漢の身となった。その後においても、同じような結果を得た者は、万億劫《まんのくこう》の間に数え尽くせぬほど生じたのであった。

時に十六人の王子は、出家して沙弥となり、共々にみ仏に請うた。

「なにとぞ、大乗の教えをお説きください。わたくしどもも、周りの者も、みな仏の悟りを得たいと欲しております。願わくは、世尊と同様の、最も透徹《とうてつ》した智慧の眼を得たいものでございます」

一七九—五—上
仏は、沙弥たちの心の内と、前世に積んだ修行をよく見通され、かれらのために、さまざまな過去の例証《れいしょう》をあげ、譬諭を用いて、六波羅蜜の道や、神通力の法を説き、最も奥深い真実の法と、それに到達するための菩薩の修行を分析した、法華経の多くの偈を説かれたのであった。

説き終わられるや、静かな室で禅定に入られ、心を動かすこともなく、身を動かすこともなく、八万四千劫の間じっと坐しておられた。

一七九—九—中
十六人の沙弥は、み仏が禅定よりいでたまわぬのを見て、無数の衆生のために仏の無上の智慧の教えを説いた。それぞれ法座にのぼり、この大乗の教えを説き、仏ご入滅の後も同じ教えを説き広め、その力を発揚《はつよう》し、み仏の衆生教化のはたらきをお助けしたのであった。

それぞれの沙弥が教化した衆生は、ガンジス河の砂の数ほどに達した。このようにして、仏の滅度の後も、その教えの後継者より法を聞く者は、ここかしこの諸仏の国土に、必ず師と共に生まれるのが常である。

この十六人の沙弥も、仏道の修行を十分に成し遂げ、今それぞれ十方の国土にあって、仏の悟りを成就しておられる。その沙弥の時代に教化を受けた者は、今もそれぞれのみ仏のみもとに生を享《う》けているが、なかんずく境地を高めて声聞の悟りを得た者には、いよいよ最高の仏の智慧を教えられるのである。

一八〇—四—下 わたしも、その十六人の中の一人であり、かつて前の世にも、そなたたちに教えを説いたのである。それゆえに、この世においても共に生まれ、さまざまの方便の教えを説いて、皆を仏の智慧へ導こうと努めてきた。このような、昔からの因縁があればこそ、いま最高の教えを説いて、いよいよ仏の智慧へ入らしめようとしているのだから、けっして難解《なんげ》を恐れてはならない。しりごみすることもないのだ。

一八〇—七—中 たとえば、ここに険しい道があって、人跡《じんせき》はるかに絶え、さまざまの猛獣《もうじゅう》が出《しゅつ》没《ぼっ》し、水も草もなく、人に恐れられている場所であったとする。多くの衆が今、この道を旅しているが、ゆくてははるかに遠く、五百由旬にも及ぶ。一行を率いる導師は、知識は豊か、智慧にすぐれ、実に賢明で、決断力があり、危機に際して人びとを救う力を持っている。

さて、その道をたどる一行は、ことごとく疲れ果て、旅に飽《あ》き、導師に向かって、「わたくしどもは、すっかり疲れ、苦しくなりました。ここから引き返そうと思います」と訴えた。

導師は考えた。何という、かわいそうな人たちだろう。どうして、あの素晴らしい宝を手に入れず、引き返そうとするのか――と。そこで、いい方法を思いついた。神通力を使って、一同の心を引き立てようと考えたのだ。

導師は、一つの大都城を忽然《こつぜん》として浮かび上がらせた。美しい家々が立ちならび、周りには庭園や木立がめぐり、清らかな流れや池があり、そびえ立つ楼門《ろうもん》や高閣《こうかく》には、多くの男女が楽しげに住みなしている。

導師はそのまぼろしを造るや、みんなを慰《なぐさ》めて言った。「さあ、もう心配はいらない。あの中に入って、自由にしなさい」と。一同は大いに喜んで、都城の中に入り、すっかり安堵《あんど》した。そして、まったく救われたものと思い込んでしまった。

導師は、一同が十分休息し、元気を回復したのを見ると、みんなを集めて言った。「皆さんは、もっと前進しなければなりません。この安楽な城は、まぼろしに過ぎないのです。皆さんが、疲れきって、途中から引き返そうと考えはじめたのを見て、方便力をもって化作《けさ》した、仮のやどりです。さあ、元気を出して、けんめいに努力しなさい。前へ進みなさい。わたしと一緒に、宝のある所まで行こうではありませんか」

一八一—一〇—上 わたしは、ちょうど、この導師のような存在である。一切の生あるものを導く導師である。仏道を求める人びとが、中途に怠り疲れ、生死《しょうじ》・煩悩の険しい道を突破できないのを見るや、一八一—一二—上 究極の目的まで導く一手段として、心の平安を得るための解脱を説き、そなたたちは、苦を滅することができた。そのための修行をみごと成し遂げたのだ——と告げるのである。

一八二—一—中 こうして、皆が迷いを去り、煩悩を除き尽くした解脱の境地に至り、阿羅漢の身となったのを見れば、そこで一同を集め、最終的な真実の教えを説くのである。

一八二—二—下 仏というものは、このように、導きの手段として、傾向の異なる三種の教えを説くが、しかし、真実の教えはただ一つしかない。修行の中途において、しばしの休息を与えるために、声聞・縁覚の教えを説くのだ。

一八二—三—下 今こそ、その真実の教えを、そなたたちのために説こうとしている。そなたたちがいる現在の境地は、究極の涅槃ではない。諸法実相《しょほうじっそう》を知る仏の智慧を得てこそ、真の涅槃に入ることができるのだ。その境地をめざして、わき目もふらず努力する決意を、いま新たに起こさなければならない。

一八二—五—上 そなたたちが、一切の事物の真実を知る智慧を得、仏の本質たる十種の力を具え、仏法の悟りを自らの心に証することができ、そして三十二の吉相《きっそう》を身に現すようになったならば、その時こそ真の涅槃を得たということができよう。世の大導師たる諸仏は、安心を得させるために解脱の境地を説き、人びとが解脱を果たして安心を得たと見るや、その時初めて仏の智慧へと引き入れるのである。

着物に縫い込めた宝玉（五百弟子受記品第八《ごひやくでしじゅきほん》）

その時、富楼那弥多羅尼子《ふるなみたらにし》は、さきにお釈迦《しやか》さまが、仏《ほとけ》の智慧《ちえ》にもとづいて、人に応じ場合に応じて適切な方法を用いて説かれた、さまざまな教えを聞き、いくらかの大弟子《だいでし》に成仏《じようぶつ》の保証を与えられたお言葉をうかがい、続いて、仏さまと自分たちとは過去世《かこせ》からずっと師弟の関係であったという因縁《いんねん》を教えられ、また、もろもろの仏は自由自在の神通力《じんづうりき》を具《そな》えておられることを知って、かつて経験したこともない有難い思いに満たされ、清らかな喜びで心が躍《おど》るのを覚えました。そこで、座から立ち上がって仏さまのおん前にまいり、額《ひたい》をみ足につけて礼拝《らいはい》し、一方に退《しりぞ》いて坐り、長い間じっと仏さまの尊いお顔を仰《あお》ぎ見て、まじろぎもしませんでした。

富楼那は、世尊《せそん》をじっと仰ぎ見ながら、心の中に思うのでありました。――世尊《せそん》は、はかりしれないほどすぐれたお方だ。非常に困難なことをもやすやすと成し遂げられる、この世に希《まれ》なお方だ。世間の人びとのさまざまな機根《きこん》や性質に応じ、それぞれにピッタリした導きの方法や手段を知る智慧によって、教えをお説きになり、衆生《しゅじょう》をさまざまな貪欲《とんよく》や執着《しゅうちゃく》から解放してくださる。仏さまの功徳《くどく》の広大さは、とうていわれわれの言葉で言い尽くせるものではない。われわれは、ただ世尊にお任《まか》せするばかりだ。世尊だけが、われわれの心の奥深く願っていることをご存じなのだから――。

その時お釈迦さまは、多くの比丘《びく》たちに向かって、こうお告げになりました。

「皆さん。この富楼那弥多羅尼子をごらんなさい。わたしは、これまでいつも富楼那を賞めて、『わたしの教えを大衆に説法する能力において、教団中第一である』と言い、またそのすぐれた徳《とく》と行為を称嘆してきました。富楼那はけんめいに努力して、わたしの教えが正しく世に行われるように護《まも》り、わたしを助けて教えを宣《の》べ伝え、多くの人びとを、次第に仏法受持《ぶっぽうじゅじ》の心が深まるように導き、また、仏の正しい教えを完全にかみ砕いて説き、同行の修行者たちにも大きな利益《りやく》を与えてきました。如来《にょらい》以外には、富楼那ほど言葉の力の偉大さを発揮できるものはありますまい。

皆さん。皆さんは、富楼那がたんにこの世においてのみ、わたしの教えを護持《ごじ》し、わたしを助けて教えを宣べ伝えてきたものと思っているかもしれませんが、そうではありません。過去世においても、無数の仏のみもとにおいて仏の正法《しょうぼう》を護持し、それを説き広めるお手伝いをし、常に説法《せっぽう》の第一人者とされていたのであります。

一八四―六―上
富楼那は、もろもろの仏の説かれた〈空《くう》〉の教えを明らかに悟《さと》り、その最も深いところまでしっかりと理解し、その上、自由自在な表現の能力を身につけ、常に教えを明瞭に分かりやすく説き、また、清らかな心で教えを説きましたので、人びとは少しも疑惑を起こすことがありませんでした。富楼那は、菩薩としてのさまざまな神通力を具《そな》えていましたが、しかし、いつも比丘のような生活態度で、寿命《じゅみょう》のある限り、清らかに身を保って修行していたのであります。

一八四―八―中
その時代の人びとはみんな、かれを声聞《しょうもん》であると見ていたのです。富楼那は、そのような態度をとることによって、無数の衆生に多くの利益を与え、量り知れぬほどの人びとを導いて、無上の悟りを得たいという心を起こさせたのであります。実に富楼那は、世界中を美しく清らかにするために、常に仏の事業を助け、衆生を教《きょう》化《け》したのであります。

比丘の皆さん。この富楼那は、過去の七仏のみもとにおいても第一の説法者であり、現在わたしのもとにおいても第一の説法者であります。また、次に出現される諸仏《しょぶつ》の説法者の中でも第一人者となり、常に仏法を護り持《たも》ち、仏を助けて教えを説き広めることでしょう。さらにまた、はるかな未来の世においても、無数の仏の教えを護り持《たも》ち、仏を助けて説き広め、量り知れぬほどの衆生を教化して大きな利益を与え、無上の悟りを得ようという志を起こさせるでしょう。世界中を清らかに美しくするために、常に一心に努力して、衆生を教化するでありましょう。

こうして、次第に菩薩の道を完成してゆき、無量の年月を経た後、この世界において無上の悟りを得、仏となるでしょう。名号《みょうごう》を法明如来《ほうみょうにょらい》・応供《おうぐ》・正偏知《しょうへんち》・明行《みょうぎょう》足《そく》・善逝《ぜんぜい》・世間解《せけんげ》・無上士《むじょうじ》・調御丈夫《じょうごじょうぶ》・天人師《てんにんし》・仏《ぶつ》・世尊と言います。

その仏は、数多くの世界を、共通の一つの仏土とされるでしょう。国土は七宝《しっぽう》でつくられ、平らなことはまるで掌《たなごころ》のようで、山や谷やみぞや穴などはありません。
一八五―一〇―上
七宝づくりの高殿《たかどの》が立ちならび、天人の宮殿が地面に近い空中《くうちゅう》に浮かび、人間界のものは天上界《てんじょうかい》を見ることができ、天上界のものは人間界を見ることができ、お互いに心がかよい合い、共に仏の教えに帰依《きえ》するでありましょう。

一八五—一〇—下 その世界においては、憤怒《ふんぬ》・貪欲・愚痴《ぐち》・闘争心《とうそうしん》のような悪徳は見られず、男女の差別もなくなり、一切衆生《いっさいしゅじょう》は精神的人間として新しく生まれ変わることでありましょう。そして淫《みだ》らな欲はなくなり、大神通力を得、身からは光明を発し、自由自在の身となるでありましょう。仏の道をふみ行おうという志《こころざし》はあくまで堅固《けんご》であって動揺《どうよう》することなく、正しい道に一心に努め励み、すぐれた智慧を持ち、すべての人の身体《からだ》が金色《こんじき》で、三十二の吉相《きっそう》を具えているでありましょう。

一八六—一—中 その国の人びとは、常に二種類のものしか食べません。一つは〈仏の正法を聞く喜び〉であり、もう一つは〈禅定《ぜんじょう》に入り正法を徹底することによって感ずる悦《よろこ》び〉です。こうした精神の栄養のみで生きていけるのです。

その国には無数の菩薩《ぼさつ》があり、すべて大きな神通力を具え、教えを自在に説く智慧をもって、よく衆生を教化するでしょう。

教えを学ぶ人たちも数えきれぬほどおり、みんなさまざまな神通力と、特にその中の三種の能力と、解脱《げだつ》のための八種の禅定に入る能力を具えることができましょう。

法明如来の国土においては、このような量り知れぬほどの徳と、徳のはたらきが、その国を美しくし、完全な浄土につくりあげることでしょう。時代の名を宝《ほう》明《みょう》、国の名を善浄《ぜんじょう》と言います。その仏の寿命の長さは、計算もできぬほどであり、その教えも非常に長いあいだ伝えられるでありましょう。仏が入滅《にゅうめつ》された後には、仏徳《ぶっとく》をしのぶ七宝づくりの塔が国中に充ち満ちるほど建てられるでしょう」

こうお説きになった世尊は、その意味を重ねてお述べになるために、偈《げ》を説いておおせられました。

もろもろの比丘よ。よく聞き、よく理解するがよい。真の仏弟子は、人に応じ場合に応じ、さまざまな手段をもって導くことに精通《せいつう》しているがゆえに、その所行《しょぎょう》には、常識をもってしてははかりしれぬ、不思議なことが数々あるのだ。
一八六―二―中
菩薩は、大衆が安易《あんい》で入りやすい教えを好み、深い大きな智慧を敬遠することを知っている。それゆえ、わざわざ一段下がって、声聞や縁覚《えんがく》の姿となったり、さまざまな手段をもって多くの衆生を教化するのだ。

自分のことを、「まだ声聞で、無上の悟りには遠い者だ」と称しながら、いつしか無数の人びとを導いて、悟りを成就《じょうじゅ》させるのだ。
一八七―二―下
このようにして、小法《しょうぼう》を欲して大乗《だいじょう》を求めぬ、意欲不足の人びとをも、次第次第に仏の悟りを成就させるのである。[一八七―三―中]心中には菩薩の行をなしているとの自信を持ちながら、表面は普通の修行者のごとくふるまう。[一八七―四―上]小乗の悟りを求めて、現象の変化へのとらわれから離れることを目的に修行しているかのようだが、実は、大乗の悟りをもって、世の中全体を美しくする行いを実践しているのである。

[一八七―四―下]たんに声聞の姿として現ずるのみでなく、ある時は貪《とん》・瞋《じん》・痴《ち》の三毒《さんどく》(80)を具えた凡夫《ぼんぷ》の身として現れ、ある時は邪見を懐く外道《げどう》(92)の身として現れることさえあるのだ。

わたしの弟子たちは、このような方便《ほうべん》を用いて、衆生を救うのだ。[一八七―五―下]もし、菩薩たちが衆生を救うためさまざまに形を変えて出現する事実を、もっと詳しく、こまごまと述べたならば、聞く人は必ず当惑し、疑いをさえ懐くに至ろう。

[一八七―七―上]今ここにいる富楼那も、その菩薩の一人なのだ。富楼那は、過去世の無数のみ仏のもとで、行ずべき道を一心に行じ、教えを護り伝えることに精励《せいれい》した。すなわち、無上の智慧を求めて諸仏に仕え、常に弟子たちの上位にあり、知識豊かに、智慧すぐれた人物と仰がれていた。教えを説く時は、何ものをも恐れは

ばかるところなく、自由自在に説き、よく大衆の心に喜びを与え、いまだかつて倦《う》み疲れたことはない。このようにして、衆生の救済・教化という仏の事業を助けてきたのだ。

一八七—一〇—下 富楼那は、すでに偉大な神通力に通じ、教えを自在に説く四種の素晴らしい智慧を具え、大衆の機根の程度を知り分けて、常に清らかな教えを説き、法の正しい意味をよくおし広げて、一般大衆にも理解させ、すべての人びとを大乗の教えに帰依するよう導き、このようにして世界を美しく清める聖行に没頭してきた。

未来においてもまた、無数の仏を供養し、正しい教えを護り、仏を助けてそれを説き広め、世界を寂光土《じゃっこうど》に変えていくであろう。

一八八—二—上 富楼那は常に、さまざまな適切な手段を用い、恐れはばかるところなく教えを説き、無数の衆生を悟りへ導いて、一切のものごとの実相《じっそう》を知る、無上の智慧を完成させるであろう。

一八八—三—中 かくして富楼那は、もろもろの仏を供養《くよう》し、教えの宝庫を護持して、ついに仏となることができよう。仏の名号を法明と申す。国の名は善浄、七宝で造られた美しい国土である。時代の名は宝明と称しよう。

その国には無数の菩薩があり、すべてもろもろの神通力を持ち、徳をもって人を化する大きな力を具えている……そのような菩薩が国中に充満しているであろう。声聞もまた無数であって、これまた神通力を具え、解脱のためのさまざまな三昧力《さんまいりき》と、教えの理解・表現についての自由自在な能力を持つ……一八八―八―上このような声聞たちが教団を形成しているであろう。

その国の衆生は、すでに淫らな欲を去り、精神的人間として生まれ変わったものであり、三十二相を具備《ぐび》した清浄《しょうじょう》の身を持ち、法を聞く喜びと、法を修行する悦びのみを栄養とし、その他の食物を欲することはない。男女の差別もなく、すべてが平等に尊《とうと》い人間であり、またもろもろの悪徳もない。

富楼那比丘は、すべての徳と、徳のはたらきとを完全に身に具えることによって、この国に仏となり、この浄土の多くの賢聖《けんせい》たちを率いる身となろう。富楼那は、このように量り知れぬほどの尊い事績を持つであろうが、それも、今はただ簡略に説いたに過ぎないのである。

お釈迦さまが以上のようにお説きになりますと、それをうかがっていた千二百人の、心の自由自在を得ている阿羅漢《あらかん》たちは、いっせいに、次のような思いを胸にいだきました。

「ああ、何という、うれしいことだろう。こんな喜びを覚えたことは、かつてない。もし世尊が、ほかの大弟子たちと同じように、われわれにも成仏の保証を授けてくださったら、どんなに素晴らしいことだろう」

　かれらの心の中の思いを知られた世尊は、教団の長老摩訶《ちょうろうまか》迦葉《かしょう》に向かって、次のようにお告げになりました。

「ここにいる千二百人の阿羅漢たちに、わたしは現実に、順を追って、成仏の保証を授けましょう。まず、この中にいるわたしの大弟子である憍陳如比丘《きょうじんにょびく》は、これからさき無数の仏を供養申した後、仏となることができましょう。名号は普明《ふみょう》如来・応供・正徧知・明行足・善逝・世間解・無上士・調御丈夫・天人師・仏・世尊と申します」

　お釈迦さまは授記をお続けになります。

「千二百人の中の五百の阿羅漢、すなわち優楼頻螺《うるびんら》迦葉《かしょう》・伽耶《がや》迦葉《かしょう》・那提迦葉《なだいかしょう》・迦《か》留陀夷《るだい》・優陀夷《うだい》・阿㝹楼駄《あぬるだ》・離婆多《りはた》・劫賓那《こうひんな》・薄拘羅《はくら》・周陀《しゅだ》・莎迦陀《しやかだ》などは、みんな必ず仏の悟りを得ることができます。そして、みんな同じく普明如来という名号を持つでありましょう」

世尊は、今お説きになったことを、偈によって重ねてお説きになりました。

憍陳如比丘は、これより無数の仏に仕え、無量の年月が経った後、最高無上の悟りを得るであろう。身よりは大光明を放ち、もろもろの神通力を具え、その名は十方に普《あまね》く伝わり、一切の人びとに敬われ、常に仏の道を説き広めるであろう。それゆえに、普明如来という名号を持つことになろう。

一九〇―一二―上　その国土は、清らにも美しく、菩薩はみな雄々しく、教えの実践にはばかるところがない。その菩薩たちは、あるいは仏寺の中で熱心に修行しつつ、十方の国々に布教の旅をなし、至上の供物をささげて諸仏を供養し、心に大歓喜を覚えつつ、一瞬にして本国に帰るという、不可思議な神通力を具えているであろう。

普明如来の寿命は六万劫《ろくまんごう》。その二倍の期間は教えが正しく残り、さらにその二倍の期間はそれに準じた形で伝わるであろう。その後は教えがついに行われなくなるが、その時は人間界のものも、天上界のものも、苦しみ悩むことであろう。
一九〇―七―上 ここにいる五百の比丘たちも、必ず次第に仏となるであろう。名号は同じく普明如来と言い、世代から世代へと順次に授記していくであろう。すなわち、ある普明如来が入滅する時は、「わたしが滅度した後、だれそれが仏となるであろう」と保証し、その教化する国土をも、今わたしが語ったように語るであろう。その国土の美しさや、もろもろの神通力や、そこに住する菩薩・声聞衆や、(93)正法《しょうぼう》・像法《ぞうぼう》の残る期間や、仏の寿命など、皆わたしがさきに述べたように保証するであろう。

迦葉よ。一九〇―一一―上 この五百人はすでに授記され、完全に心の自由自在を得た。その他の声聞衆も、また次第に同じような境地に達することができよう。今この会座《えざ》にいない声聞衆には、迦葉よ。そなたからそのことを伝えてやるがよい。

その時、五百の阿羅漢たちは、授記を得た喜びに躍り上がりたいような気持で座から立ち、仏さまのみ足に額をすりつけて礼拝し、自分たちの至らなかったことを反省し、懺悔《さんげ》するのでありました。

「今までわたくしどもは、ただ煩悩《ぼんのう》を除いただけで、最終的な平安の境地に達しているのだと考えておりました。今はじめて、それがまちがいだったことを知りました。まったく無智同様だったのでございます。なぜならば、もともとわたくしどもにも仏性《ぶっしょう》があるのですから、修行しだいで如来の智慧を得られる身でございましたのに、ただ煩悩を除くという小さな智慧だけで十分だと考えていたからでございます。

一九一―五―中
譬えて申しますと、ある人が親友の家を訪れて、ご馳走《ちそう》になり、酒に酔って眠り込んでしまいました。ところが、その親友は、急に公用で出かけなければならなくなりました。寝ている友だちを起こすのも気の毒に思い、貧乏《びんぼう》しているその人のために、はかりしれないほどの値うちのある宝玉を、着物の裏に縫《ぬ》いつけておいて出かけたのでした。その人は酔って熟睡《じゅくすい》していましたので、少しもそれを知りませんでした。

やがて目が覚《さ》めたその人は、親友がいなくなっているので、その家を立ち去りました。あい変わらずの貧乏暮らしで、ついに放浪の生活に入りました。衣食の糧《かて》を求めるためにたいへんな苦労をし、ほんの少しでも収入があれば、それで満足するという状態でした。

ずいぶん経ってから、その人は、昔の親友とバッタリ出会いました。親友はこの人の憐れな姿を見て、『何という愚かなことだ。りっぱな男が、どうして衣食のためにそんなにやつれてしまったのだ。わたしは、君が安楽に暮らせるように、そして思いのままの生活ができるようにと考えて、君が家を訪ねてくれたあの日、値だんのつけられないほどの宝玉を、君の着物の裏に縫いつけておいたんだよ。どれどれ、ほら、ここにちゃんとあるではないか。それなのに、君はちっとも知らないで、苦労したり心配したりして働いてきた。まったく愚かなことだ。さあこの宝玉を売って、必要なものをどんどん買いなさい。貧乏だとか、不足なことだとかは、すっかりなくなってしまうのだよ』と言いました。仏さまは、ちょうどこの親友のようなお方でございます。

一九二―三―中 前の世で、仏さまが菩薩であられました折、わたくしどもを教化して、この世の一切のものの真実を知る智慧を得ようという志を起こさせてくださいました。それにもかかわらず、現世《げんぜ》に生まれ変わりましてからは、そのことをすっかり忘れてしまい、一切のものの真実を知る智慧というものなど、考え及びもしなかったのでございます。そして、すべての煩悩を除き尽くした身となることができて、それで本当の安心《あんじん》を得たものと、考えていたわけでございます。いわば、生活のために苦しい働きをして、少しばかりの収入を得ては、満足していたようなものでございます。

一九二―五―下 とは申しましても、一切智《いっさいち》を求めようという願いは、わたくしどもの心の奥底のどこかに潜んでいて、なくなったわけではございません。そこで、世尊は今、わたくしどもを悟らせてくださるために、『比丘たちよ、お前たちが得た安心の境地というものは、本当の涅槃《ねはん》ではないぞ。前世《ぜんせ》において、長い間お前たちに、仏となるための徳行《とっこう》の根を植えさせてきたのだけれども、現世になって、その根から芽を出させる手段として、安心の境地を示したのである。それなのに、お前たちは、それを最終的な平安の境地のように思い込んでしまったのである』と、教えてくださいました。

一九二―九―中 世尊のこのお言葉によりまして、初めて目が覚めました。わたくしどもは実は菩薩であったことが、はっきり分かりました。そうして、今ここに成仏の保証を授けていただくことができたのでございます。それゆえ、わたくしどもは、かつてない大きな喜びを覚えているのでございます」

さらに、阿若憍陳如《あにやきようじんによ》らは、今のべたことの意味を、偈を唱えて、重ねて申し上げるのでした。

われらは今、無上の大安心を得られる授記のお言葉をうかがい、かつてない有難いことと歓喜し、量り知れぬ智慧の持ち主であられる世尊に、心から感謝し、礼拝申し上げます。

と同時に、世尊のおん前に、これまでの過《あやま》ちを深く懺悔申し上げます。わたくしどもは、一九三—三—上量り知れぬほど偉大な教えの一部分である、小さな安心の境地に達しえただけで、すっかり安心しておりました。まるで無智の愚か者と同様でございました。それを、話に譬えて申し上げたいと存じます。

貧窮《びんぐ》の男があった。ある時、親友の家を訪れた。その家はたいへん金持ちで、さまざまに馳走し、親切にもてなしてくれた。その上、貧しい友の着物の裏に価《あたい》もつけられぬほどの宝玉を縫いつけて、それを知らせず旅に出た。貧しい友は、酔って眠りこけ、前後不覚であった。

やがて目が覚めたその友は、さすらいの旅に出て、他国をさまよい、衣食の糧を求めて働き、難儀苦労の生活を送った。少しばかりの収入のその日暮らしに満足し、向上の志はさらになかった。着物の裏に、無限の価値ある宝玉を持っていながら、まったくそれを知らなかった。
長い月日が経ってから、二人は道でバッタリ出会った。宝玉を与えた親友は、あい変わらず貧しい身なりをしている友を見て、その迂闊《うかつ》さを指摘し、縫いつけておいた宝玉を取り出して見せた。貧しい友は、それを見て大いに喜んだ。にわかに富裕の身となり、さまざまな財物を持ち、思うままの暮らしができるようになった。

一九三―一二―上
世尊、わたくしどもも、この貧窮の男と同様でございます。世尊はこれまでの長い間、わたくしどもを憐れとおぼしめして、教化を垂《た》れたまい、無上の智慧を得ようとの願いを植えつけてくださいました。しかし、わたくしどもは、無智なためにそれを知らず、悟らず、個人的な安心を得ただけで満足し、それ以上のものを求めようともしませんでした。
世尊は今、「それはまだ、本当の涅槃ではないぞ。仏の無上の智慧を得てこそ、真の涅槃に達したと言えるのだ」とおおせられ、わたくしどもをはたと悟らせてくださいました。

しかも、尊い授記のお言葉を賜り、わたくしどもが仏となる国土の美しさや、また無数の者が次々に仏となるであろうとおおせくださいました。わたくしどもは、身も心も喜びに充ち満ちております。まことに有難う存じます。

学修中の者にまで授記（授学無学人記品第九《じゅがくむがくにんきほん》）

その時、阿難《あなん》と羅睺羅《らごら》は心ひそかに思いました。「われわれも、もし授記《じゅき》していただくことができたら、どんなにうれしいことだろう。いつもそれを考え続けているのだが……」と。そこで、二人は座から立ち上がって、仏さまのおん前へまいり、み足に額《ひたい》をつけて礼拝《らいはい》し、こう申し上げました。

「世尊《せそん》。わたくしどもも、成仏《じょうぶつ》の保証をいただく資格があるのではないかと存じますが、いかがでございましょうか。わたくしどもは、ひたすら仏さまに帰依《きえ》いたしておりますし、また、天上界《てんじょうかい》・人間界《にんげんかい》・阿修羅界《あしゅらかい》の人びとにも、仏さまのお弟子としてよく知られている身でございます。阿難はいつもお傍《そば》に仕えまして、すべてのみ教えをしっかりと記憶しております。羅睺羅は仏さまの実子でございます。もし成仏の保証を授けられましたならば、たんにわたくしどもの願いが達せられるばかりでなく、たくさんの人びとも喜んでくれることでございましょう」

その時、まだ学修中の声聞《しょうもん》の弟子、すでに学修を完了した声聞の弟子、合わせて二千人余りが、座から立ち上がって、いっせいに右の肩を肌脱《はだぬ》ぎにし、仏さまのおん前にまいり、一心に合掌《がっしょう》しながら世尊を仰《あお》ぎ見たてまつり、阿難・羅睺羅と同じ願いを胸にいだきつつ、一方に控えるのでありました。

その時仏さまは、阿難に向かってお告げになりました。

「そなたは、未来世《みらいせ》において、必ず仏の悟りを得ることができます。仏としての名を、山海慧自在通王如来《せんかいえじざいつうおうにょらい》・応供《おうぐ》・正偏知《しょうへんち》・明行足《みょうぎょうそく》・善逝《ぜんぜい》・世間解《せけんげ》・無上士《むじょうじ》・調御丈夫《じょうごじょうぶ》・天人師《てんにんし》・仏《ぶつ》・世尊と申すでありましょう。そなたは、これから無数の諸仏《しょぶつ》を供養《くよう》し、その教えをしっかり護《まも》り持《たも》ち、その後に最高無上の悟りを得るでありましょう。そして、無数の菩薩《ぼさつ》や声聞を教化《きょうけ》して、その人たちをも最高無上の悟りに至らしめることができましょう。

国の名を常立勝旛《じょうりゅうしょうばん》と言いますが、その国土は清らかで美しく、地面は瑠璃《るり》で敷きつめられているでしょう。時代の名を妙音偏満《みょうおんへんまん》と言います。その仏の寿命《じゅみょう》はほとんど無限に近く、人びとが何千万年かかって数えても、数えきれぬほどの年月でありましょう。その教えが正しく伝わる期間は、仏の寿命の倍ほどであり、次に、それに準じた形で残る期間は、さらにその倍ほどでありましょう。阿難よ。この山海慧自在通王仏は、十方の無数の諸仏によって、その功徳《くどく》を賞めたたえられることでありましょう」

世尊は、さらに、偈《げ》によって次のようにお説きになりました。

わたしは今、僧伽《そうぎゃ》（サンガ）の皆に告げておこう。教えを記憶すること抜群の阿難は、これよりさき多くの仏を供養し、ついに最高無上の智慧《ちえ》を成就《じょうじゅ》して、仏となるであろう。名を山海慧自在通王仏と申し、その国土は清く美しく、名を常立勝旛と称するであろう。

その仏は、ガンジス河の砂の数ほどの菩薩を教化され、徳《とく》の感化は偉大であり、名声は十方世界に知れわたるであろう。衆生《しゅじょう》を憐れむがゆえに、ほとんど無限のあいだ世にとどまられるであろう。

その教えの正しく伝わる期間は、ご寿命の倍ほども長く、次に正法《しょうぼう》に準じた形で教えの残る期間は、さらにその倍ほどであろう。ガンジス河の砂の数にも譬《たと》うべき無数の衆生が、その仏の教えによって、仏の悟りを得る種子《しゅうじ》を、心身に植えつけられるであろう。

その時、その説法会《せっぽうえ》につらなっていた、仏の悟りを得ようという志《こころざし》を立てたばかりの多くの菩薩たちが、期せずしていっせいに不審の念を起こしました。

「今までに授記された大菩薩たちでも、このように高い記を受けたのを聞いたことはない。それなのに、どういうわけでもろもろの声聞たち、特に阿難のような人がこのような素晴らしい授記を得たのであろうか」と。

一九七—七—上 世尊は、新発意《しんぼっち》の菩薩たちが心の中に感じた不審をお察しになり、次のようにおおせになりました。

「もろもろの善男子《ぜんなんし》よ。わたしと阿難とは、はるかなる過去世《かこせ》の、空王仏《くうおうぶつ》という仏さまのみもとにおいて、同時に、仏の悟りを得たいという志を起こしたのであります。ところが、阿難はできるだけ多く教えを聞きたいと常に願っておりましたが、わたしは聞いた教えを、一心に修行し、実践することに努めたのであります。そういう違いがありましたので、わたしのほうが早く仏の悟りに達することができたわけです。

一九七—一〇—下 しかし、阿難は、現世《げんぜ》においてもわたしの教えをしっかり記憶し、将来においても、もろもろの仏の教えのすべてをよく保持し、それによって多くの菩薩たちを教化し、その人格を完成して、仏の悟りに達せしめるでありましょう。それが阿難の本願《ほんがん》にほかならないのであります。さればこそ、今こうして授記されることができたのです」

阿難は、親しく仏さまから成仏の保証を授けられ、仏として生ずるであろう国土の美しさまでうかがい、心に願っていたことがようやく達成せられましたので、大いなる歓喜に満ち、いまだかつて経験したことのない、有難い思いにうたれました。と同時に、過去世にお仕えしたもろもろの仏さまの教えを思い出してみますと、一九八―二―下 たったいま聞いたかのように、あらゆる教えのすべてを自由自在に思い出すことができました。また、過去世において自ら立てた本願も、ありありと心に再現してきたのでありました。

そこで阿難は、偈を唱えて、次のようにお礼と誓いの言葉を申し上げるのでした。

　世尊は、まことに有難いお方でございます。今わたくしに、過去の無数のみ仏の教えを、今日聞いたかのように思い出させてくださいました。

　わたくしは、今こそ何の疑いもなく、仏の悟りを得る確信を持つことができましたが、それを得る正しい手段として、今後も多くのみ仏の侍者となり、その教えを護持《ごじ》してまいりましょう。

その時、世尊は、今度は羅睺羅のほうに慈眼《じげん》をお向けになって、次のようにお告げになりました。

「そなたも、来世《らいせ》において、必ず仏となることができましょう。名号《みょうごう》を蹈七宝華如《とうしつぽうけ》来・応供・正徧知・明行足・善逝・世間解・無上士・調御丈夫・天人師・仏・世尊と申すでしょう。そなたは、これからさき、十の世界を微塵《みじん》に砕いた数ほどの仏を供養し、そして現在と同じように、いつの世でも仏の長子と生まれるでありましょう。

この蹈七宝華仏の国土の美しさ・寿命の長さ・教化される弟子・教えが正しく残る期間・正法に準じた形で残る期間などは、山海慧自在通王如来と同じでありましょう。そなたは、またこの仏の長子として生まれるでしょう。さらに修行を積んで、ついに無上の悟りを得るでありましょう」

世尊は、その意味を重ねてお述べになるために、偈を説いて次のようにおおせになりました。

わたしが太子であった時、羅睺羅は長子として生まれ、わたしが仏の悟りを得るや、教化を受けて教えの子となった。未来世にも、無数の仏に遇《あ》いたてまつるだろうが、常にその長子となって、一心に仏の悟りを求めるであろう。

一九九―五―中
羅睺羅が、自らへりくだり、かくれたところで大きな徳を積んでいることを、わたしはよく知っている。羅睺羅が、わたしの長子として生まれながら、黙々としてそのような密行《みつぎょう》を積んでいることは、多くの衆生の手本となろう。その功徳は無量であって、数え上げることはできない。羅睺羅はそのようにして、仏の教えを心から信じ、無上の悟りを求めているのだ。

羅睺羅への授記を終えられた世尊が、その後ろにいならぶ、学修中の声聞たちや、すでに学修を完了した声聞たちを見わたされますと、それらの人びとが、すべて心が柔らかく、素直で、静かに落ち着き、清らかであり、帰依の一心を込めて仏さまを仰ぎ見ていることが、み心にはっきり映《うつ》りました。

世尊は阿難に向かっておおせられました。「そなたは、この学（まだ修学《しゅうがく》すべきことの残っている）・無学（もはや修学すべきことの無い）の人びとを見ましたか」

阿難は「はい」とお答えしました。そこで世尊は、あらためておおせいだされました。

「阿難よ。これらの人びとは、これからさき、五十の世界を砕いて微塵としたほどの数の仏を供養し、敬《うやま》い、尊《とうと》び、その教えを護持し、その最後の身において、十方の国で同時に仏となることができましょう。みな同じく一つの名号で宝相《ほうそう》如来・応供・正偏知・明行足・善逝・世間解・無上士・調御丈夫・天人師・仏・世尊と申しましょう。寿命は一劫《こう》で、国土の美しさも、そこに住する声聞・菩薩も、正法・像《ぞう》法《ぼう》が残る期間も、みな同等でありましょう」

さらに世尊は、偈によって、重ねてお説きになりました。

今わたしの前にいる二千の声聞に、ことごとく成仏の保証を与えよう。みな未来世において、必ず仏の悟りを得るであろう。その境地に至るまでに、前に述べたような無数の仏を供養し、それら諸仏の教えの宝庫を護持し、そして最後に無上の悟りに達するであろう。

それぞれ十方の国に仏となり、すべて同じ名号であろう。みな同じ時刻にそれぞれの道場に坐し、同じ時刻に無上の智慧を悟り、同じく宝相如来という名の仏となるであろう。その国土も、弟子たちも、正法・像法の残る期間も、みな同様であろう。

これら無数の宝相如来は、その偉大な力により、十方の衆生を教化して苦しみより救い、その名声は普《あまね》く聞こえ、かくして長くその国土にとどまられた後、世を去られるであろう。

それをうかがった学・無学の二千人は、仏さまから親しく授記を得た喜びに、躍《おど》り上がりたいような気持にひたりながら、偈を唱えてお礼を申し上げるのでありました。

ああ、世尊は智慧の灯明。

われらは授記のみ声を聞きまつり、心は歓喜に充ち満ち、甘露をそそがれた思いです。

有難うございます。有難うございます。

どんな人が仏になれるのか（法師品《ほっしほん》第十）

その時、世尊《せそん》は、薬王菩薩《やくおうぼさつ》に話しかける形で、無数の菩薩たちに説きはじめられました。

「薬王よ。この大衆の中には、神々もあれば、海の底や空の上に住んでいるものもおり、人間であるとないとを問わず、あらゆる生あるものが集まっています。また、出家《しゅつけ》・在家《ざいけ》の修行者《しゅぎょうしゃ》にしても、声聞《しょうもん》の悟《さと》りを求めるもの、縁覚《えんがく》の境地を求めるもの、仏の智慧《ちえ》を得たいと願うものなど、いろいろと望みや境地に相違がありますす。薬王よ。あなたにもそれが分かるでしょう。けれども、これらのさまざまな人のうち、もしわたしが説く妙法華経《みょうほけきょう》の一偈《げ》でも一句でも聞いて、一瞬《いっしゅん》の間でも『ああ、有難い』と心から思うものがあったら、わたしはその人に成仏《じょうぶつ》の保証を授《さず》けましょう。その人は必ず仏の悟りを得るに違いないからです」

世尊は、また、薬王菩薩に向かっておおせになりました。

「それは現在だけのことではありません。わたしがこの世を去った後の世においても、もし法華経の一偈一句を聞いて、瞬間でも心から有難いという念を起こす人があったならば、わたしはその人の成仏を保証しましょう。

また、もしこの法華経の一偈でも深く信じ、よく心に持《たも》ち、繰り返し学び、よくそらんじて心に植えつけ、人のために解説してあげ、また書写《しよしや》して広く世間に広める努力をし、この経典《きようでん》を仏と同様に敬《うやま》って、花や香木を供え、瓔珞《ようらく》を飾り、香《こう》をふりかけ、身に香を塗《ぬ》り、香を焼《た》き、繒蓋《きぬがさ》をさしかけ、幢旛《はたのぼり》で荘厳《しようごん》し、衣服をささげ、音楽を奏して供養《くよう》し、合掌《がつしよう》して敬いの心を表す人びとがあったならば、薬王よ、その人びとは、かつて過去世《かこせ》において、無数の仏を供養し、すでに諸仏《しよぶつ》のみもとにおいて、多くの衆生《しゆじよう》を救おうという大願《たいがん》を成し遂げた人であります。しかも、これに満足せず、現世《げんぜ》の苦の衆生を憐《あわ》れむ心から、人間界に生まれてきたのであります。

二〇三―三―中

薬王よ。もし『どんな衆生が未来世《みらいせ》において仏となることができるのか』と問う人があったならば、今のべたような人びとこそ未来世において仏となるのだと、教えてあげなさい。

それは、なぜでありましょうか。もし、在家の信仰者が、法華経の一句でも深く信じ、心に持《たも》ち、繰り返し学び、声を上げて読み、人のために解説し、世に広める努力をし、また、この教えをさまざまに供養し、まごころから手を合わせて敬うならば、その人は世間の一切のものが仰《あお》ぎ見るべき尊い存在であるからです。その人は、如来《にょらい》に対する供養と同じ供養を受くべき人であるからです。

二〇三―九―上
また、この人は、大菩薩としてすでに仏の悟りを悟っていながら、衆生を憐れむ心から、自ら進んで人びとの間に生まれ、広く法華経の教えを説き、さまざまに説き分けるのであります。ただそれだけでなく、法華経の教えを徹底的に信じ、心に持《たも》ち、さまざまに供養するのですから、その人は必ず未来世において仏となるべき人なのであります。

薬王よ。よく心得ておきなさい。この人は、自ら積んできた清らかな行いによって天に生ずる報いをうち捨て、衆生を憐れむ心から、わたしの滅後の悪世《あくせ》に生まれて、この教えを説き広めるのであります。

二〇四―一―中
もしこれらの在家の信仰者が、わたしの滅後において、たった一人のために個人的に説くのでもよし、この法華経の中のある一部分でもよし、人のために説いてあげるならば、まさにその人は如来の使者であると知らなければなりません。如来からつかわされたものとして、如来の行うべきことを代行するものであります。まして、大衆の中で広くこの教えを説くに至っては、なおさらのことであります。

二〇四—四—中
薬王よ。もし悪い人があって、仏の目の前で仏を一劫《こう》という長いあいだ罵《ののし》り続けたとしても、その罪はまだ軽いほうです。もし、一口でも、法華経を読誦《どくじゅ》する在家・出家の信仰者の悪口を言ったら、その罪は非常に重いのです。

薬王よ。法華経を心から読誦する人は、仏と同じ美しさをもって、自らの身を美しくしている人であります。そのような人は、いつも如来の肩にかついでもらっているものと、思ってよいのです。

その人がどこへ行かれても、そのほうを向いて礼拝《らいはい》すべきであります。一心に合掌し、うやうやしく敬い、感謝のまことをささげ、尊《とうと》び重んじ、賞めたたえなければなりません。花や香木をささげ、瓔珞を飾り、香をふりかけ、身に香を塗り、香を焼《た》き、繒蓋をさしかけ、幢旛で荘厳し、衣服や食物を供え、音楽を奏するなど、人間として最高の供養をもって供養しなければなりません。天上の宝をこの人の周りに散じ、天上の宝珠《ほうじゅ》をも山のごとくささげたてまつらなければなりません。なぜそうしなければならないのかと言えば、この人が心から喜んで法を説く時、ほんのしばらくでもそれを聞けば、それがそのまま、仏の悟りにつながっているからであります」

その時、世尊は、さらに偈をお説きになって、その意味を重ねてお述べになりました。

もし仏道に身を任せ、自然にはたらく無上の智慧を成就《じょうじゅ》したいと望むなら、常に努めて、法華経の教えを受持《じゅじ》する人を供養しなければならない。
二〇五—五—中
この世の一切のものごとを平等相《びょうどうそう》・差別相《さべつそう》の両面から明らかに見通す無上の智慧に、まっすぐに達したいと望むものは、まさにこの教えを受持しなければならない。また、この教えを受持する人を供養しなければならない。
法華経の教えを堅く受持する人があったら、その人は、仏の使いとして多くの衆生を憐れむ人と知らねばならぬ。
法華経の教えをよく受持する人はすべて、自分の住する清らかな浄土《じょうど》をわざわざ離れ、衆生を救うためにこの世に生まれてくるのだ。
二〇五—九—下
そのような人は、すでに自由自在の身であって、生まれたい所に思うままに生まれることができるのだから、ことさらにこの汚濁《おじょく》と悪徳に満ちた世界に生まれ出たのは、無上の法を説き広めるためと知らねばならぬ。

このような説法者には、天の花・天の香・天の衣服・天の宝珠をもって供養しなければならぬ。

わたしの入滅《にゅうめつ》後の恐怖に満ちた悪世で、よくこの教えを持《たも》つ者には、仏に対すると同様、合掌し、礼拝し、尊敬しなければならぬ。もろもろの美味の食事を供え、寝具・衣服の類をささげ、この仏の子を供養し、しばしでもその教えを聞くことを願うべきである。

二〇六―二―下

もし後の世において、よくこの教えを受持するものがあったら、その人は、わたしが自分の使いとして人間界に生まれさせ、如来の仕事を代行させるものである。

もし不善の心を懐《いだ》き、一劫の間、顔色を変えて仏を罵り続けるような人があったら、それは無量《むりょう》の罪をつくるものである。しかし、法華経の教えを受持・読誦する人に対し、しばしの間でも悪口を言うものがあったら、その罪はそれよりはるかに大なるものであろう。

二〇六―七―上 もしある人が、仏の悟りを求める心から、一劫もの間、わたしの前で無数の偈を唱えて賛嘆したとしよう。その人は、正法《しょうぼう》を悟った者を賛嘆するという行いによって、量り知れぬ功徳《くどく》を得るであろう。

もしこの法華経を受持する人を賛美するならば、それによって生ずる功徳は、仏を賛嘆する以上のものがあろう。それゆえ、八十億劫もの間、最高の美しい形式と、美しい音声をもって供養し、最上のかぐわしい香を焚《た》き、舌を喜ばす美味を供え、肌《はだ》に快《こころよ》い衣服をささげて、この経を持《たも》ったものに供養しなければならぬ。

このようにして持経者《じきょうしゃ》を供養し、しばしの間でも教えを聞くことができたなら、ああ、われこそ大利益《だいりやく》を得たと、大いに喜び祝うべきである。

二〇六―一一―下 薬王よ。今はっきり言っておこう。わたしはすでに多くの経を説いてきた。しかし、その中で、この妙法蓮華《みょうほうれんげ》の教えが最高のものである。

それから世尊は、さらに薬王菩薩に向かってお説きになりました。

「わたしの説いた教えは、まことに数えきれないほどであります。しかし、過去に説いた教え、現在説いている教え、これから説くであろう教えの中で、この法華経がいちばん理解しにくく、信じにくい教えであります。

この教えは、もろもろの仏が心の底にひそめて、他に説くことをされなかった、すべての教えの要《かなめ》となる奥義であります。ですから、むやみに切り刻《きざ》んで人に説いたりしてはなりません。この教えは、もろもろの仏が大切に守護されてきた教えであり、昔から今まで、すっかりうち明けて説かれたことはありませんでした。しかも、この教えを説くことは、無知な人びとの怨《うら》みや嫉《ねた》みを招く恐れが多いのです。わたしが生きている現在ですらそうでありますから、ましてわたしが入滅した後の世においては、なおさらであります。

薬王よ。〔二〇七―五―下〕次のことをよく心得ておきなさい。わたしの滅後にこの教えをしっかりと持《たも》ち、書き写し、学び、誦《じゅ》し、供養し、他人のために説くものは、如来の衣によって覆《おお》われるものであります。他の世界におられる諸仏も、常にその人の身を思い、守護されるでありましょう。その人は、偉大な信仰の力と、必ず仏道を成就しようという意志力と、もろもろの善い行いの根本になる心を養う力を持っているでありましょう。

まさに知らなければなりません。そのような人は、如来と同じ家に住むものであります。また、如来の手によって頭をなでられるものでありましょう。

薬王よ。どんな所でも、そこで法華経の教えが説かれ、読誦され、書かれ、あるいは書物によって伝道される場所には、必ず七宝《しっぽう》の塔が建てられ、その塔はきわめて高く、広く、美しく、りっぱなものでなければなりません。二〇七―一二―上　その塔には、仏舎利《ぶっしゃり》をまつる必要はありません。なぜならば、そこには如来の全身が厳然としてあるからであります。

この塔に対しては、花や、香や、瓔珞や、繒蓋や、幢旛や、音楽や、賛歌もささげて、供養し、うやうやしく敬い、尊び、賞めたたえなければなりません。もし、人びとがこの塔を見ることができて、礼拝し、供養したならば、その人びとはみな仏の悟りに一歩近づいた人であると知るべきであります。

薬王よ。在家の人にしても、出家の人にしても、菩薩の道を行ずるのに、もし、この法華経の教えを聞き、読誦し、書写し、受持し、供養することができないならば、その人はまだ十分に菩薩の道を行ずることができないものと知らなければなりません。それに対して、もしこの教えを聞くことができたならば、必ずよく菩薩の道を行ずることができると言えるのです。

もし衆生の中に、仏道を求める人があって、この法華経を読み、あるいは聞き、そしてよく理解し、信受《しんじゅ》し、しっかりと心に持《たも》ち続けるならば、その人は仏の悟りに近づくことができたと言えるのであります。

二〇八—一〇—上
薬王よ。たとえば、水のない高原で、渇《かわ》きに苦しんでいる人が、井戸を掘ったとしましょう。掘っても掘っても土が乾《かわ》いている時は、まだ水は遠いのです。それでもがっかりせずに、しんぼう強く掘り続けていると、だんだん湿《しめ》った土が出てきて、それが次第に泥《どろ》になってきます。すると、いよいよ水が近いことが分かります。菩薩と法華経の関係もこれと同じなのです。

この法華経をまだ聞いたことがなく、あるいはまだ理解せず、もしくは繰り返して習い修めることのできていない人は、仏の悟りにはまだまだ遠くにいるのだと知らなければなりません。それに対して、この法華経を聞き、理解し、思索し、繰り返し習い修めることのできた人は、必ず仏の悟りに近づくことができているのだと知るべきです。なぜならば、一切の菩薩の願いとする仏の悟りは、すべてこの経の中に説き明かされているからであります。

二〇九—五—下
この経は、さまざまな方便《ほうべん》の教えの門を開いて、その真実の相《そう》を示すものであります。この法華経に込められている真実は、入り口がたいへん固く、また微妙で奥深いために、人間の普通の才覚《さいかく》・分別《ふんべつ》ではなかなか到達しがたいものです。それゆえ、わたしは、菩薩を教化《きょうけ》して仏の悟りを成就せしめるために、それを分かりやすく説き示そうとしているのであります。

　薬王よ。もし菩薩の身でありながら、この法華経の教えを聞いて、驚き、疑い、怖《おそ》れ、はばかる気持を起こすならば、その人はきわめて初心の菩薩であるというべきでしょう。

　もし声聞の人が、この教えを聞いて、驚き、疑い、怖れ、はばかる気持を起こしたら、それを増上慢《ぞうじょうまん》の人と名づけるのであります。

　薬王よ。もし在家の男女の信仰者が、わたしの滅後に、多くの大衆のためにこの法華経の教えを説こうとする時、はたしてどのように説いたらいいのでありましょうか。

　その人たちは、二〇九―一二―上如来の室に入り、如来の衣を着、如来の座に坐り、そうして多くの人びとに広くこの教えを説かなければなりません。

　如来の室というのは、一切衆生《いっさいしゅじょう》に対する大慈《だいじ》悲《ひ》心《しん》のことであります。如来の衣というのは、柔和《にゅうわ》で、しかも外からの影響に動かされない強い心であります。如来の座というのは、一切は空《くう》であり、したがって、すべての人間は仏（真如《しんにょ》）に平等に生かされているものであるという、根本の真理であります。

この大慈悲心と、柔和忍辱《にんにく》の心と、空の教えを胸にしっかりと持ち続け、常に倦《う》まず怠《おこた》らぬ意志力をもって、もろもろの菩薩および大衆のために、広くこの法華経を説かなければなりません。（二一〇―二一下）

薬王よ。わたしは入滅の後にも、他の国にあって、そこから人間の姿をしたものをつかわし、法華経を聞く人びとを集めてあげましょう。また、人間の姿をした男女の出家・在家修行者をつかわし、その説法を聞かせましょう。その人たちは、法を聞いてはよく信受し、その教えに従い、さからうことはありますまい。

もし説法者が、一人の人間もいない場所にいるならば、わたしは、天上界《てんじょうかい》の人びとや、その他人間以外のさまざまな生あるものをつかわして、その説法を聞かしめましょう。

わたしは他の世界においても、時に応じて、説法者にわたしの身を見ることを得せしめるでありましょう。もしこの経の字句を忘れるようなことがあっても、わたしはそこに行って、完全に思い出させてあげましょう」

その時、世尊は、偈によって、重ねてその意義をお説きになりました。

悟りを求める心の怠りを払い去ろうと欲するならば、まさにこの教えを聞くがよい。この教えは、聞くこと難く、信受することも難い。それだけに、得難い尊さがあるのだ。

たとえば、渇きに苦しんで水を求める人が、高原に井戸を掘るとしよう。掘っても掘っても乾いた土が出てくる時は、まだ水脈に遠いことを知る。それと同じく、この教えにめぐり遇わぬうちは、まだ真の悟りにはほど遠いと知らねばならぬ。

なおも怠らず掘り進み、ようやく湿った土泥《どでい》に達したならば、いよいよ水に近づいたことが確信できる。同様に、この教えに到達した人は、もはや悟りの境地は近くにあると信じてよい。

薬王よ。知るがよい。まだ法華経に遇わぬ人びとは、仏の智慧よりはるか遠い所にいるのだ。（二一—五—上）それに対して、もし、この深い教えが小乗《しょうじょう》の門をうち開いてその奥にある真実を汲《く》み尽くすものであり、すべての教えの総しめくくりをなすものであることを知り、この法華経をよく学び、説かれた真意を明らかに、正しく、繰り返し心に思い返すならば、その人はもはや仏の智慧に近づいているのだ。

もし末世の人びとがこの教えを説こうとするならば、如来の室に入り、如来の衣を着、如来の座に坐り、大衆の中にあっても恐れはばかることなく、その真意をだれにも理解しやすいよう説き分けてやらねばならない。すなわち、大慈悲の心に発し、世の迫害にも賞賛にも動かされぬ堅固な心を持ち、徹底した〈空〉の悟りを根底として説くことが肝要である。

もしこの教えを説く時、人びとが悪口して罵ったり、刀杖《とうじょう》をふるって危害を加えようとしたり、瓦石《がせき》を投げて排斥《はいせき》しようとしても、必ず仏を念ずることによって、それを耐え忍ぶことだ。

二一—一一—中 わたしはすでに生死を超越《ちょうえつ》した清浄《しょうじょう》の身であるが、しかも久遠《くおん》の昔から無限の未来に至るまで、ありとあらゆる世界に出現し、衆生のために法を説く。

もしわたしが世を去った後、この教えを正しく説く者があったなら、わたしはその人のもとへ化身の修行者たちをつかわして、法を説く者を供養せしめ、また、多くの衆生を導き集めて、その教えを聞かしめるであろう。
もし人びとが、悪意をもって刀杖をふるい、瓦石を投じて迫害を加えようとするならば、すぐさま化身の人をつかわして、法を説く者の身を守護させよう。
二二二—四—上 もし法を説く者が、人気《ひとけ》を離れた場所で、ひとり静かにこの経典を読誦するならば、わたしはその人の前に、清浄の光明に輝く身を現そう。
そして、もしある章句を忘れるようなことがあれば、それを教えて明らかに理解せしめよう。
二二二—六—下 これが法華経の行者の受ける功徳であって、この功徳を身に具《そな》えた人が、あるいは大衆のためにこの教えを説き、あるいは静寂に処してこの経を読誦するならば、例外なく、仏と共にある実感をさまざまと覚えるであろう。
二二二—八—上 もし説法者が人間のいない場所にいる時は、人間以外のあらゆる生あるものをつかわして法を聞かしめよう。この説法者は、自ら進んで教えを説き、相手に応じて巧《たく》みに説き分け、滞《とどこお》りなく理解させることができよう。それも諸仏の加護によるものであって、すべての衆生に法を聞く喜びを十分に味わわせることができるのだ。

二二二—一〇—中

また、このような説法者に親しく近づき、法を聞く者は、ただちに仏の悟りを求める心を起こして菩薩の身となり、さらにこの説法者を師として深く学ぶならば、ガンジス河の砂の数ほどの仏に遇いたてまつることができよう。これが、法華経を説く者の受ける功徳なのである。

浮かび出た仏性の大宝塔（見宝塔品《けんほうとうほん》第十一）

その時、お釈迦《しやか》さまの前の地中から、七宝《しっぽう》づくりの大塔が忽然《こつぜん》として湧《わ》き出してきました。高さが五百由旬《ゆじゅん》、縦横とも二百五十由旬という広壮なもので、空中高く浮かび上がり、そこにとどまっています。さまざまな宝物によって美しく飾られ、周りに無数のらんかんをめぐらし、表面に無数の厨子《ずし》が彫られています。また、無数の幢幡《はたのぼり》をもっておごそかに飾り、宝玉をたくさんつないだ飾りを下げ、美しい音を出す多くの鈴をその上にかけてあります。四面からは、多摩羅《たまら》の葉や栴檀《せんだん》の香りを放ち、その香りは世界中に充ち満ちます。さまざまな旗や天蓋《てんがい》は、金《きん》・銀《ぎん》・瑠璃《るり》・硨磲《しゃこ》・碼碯《めのう》・真珠《しんじゅ》・玫瑰《まいえ》の七つの貴金属や宝玉でつくられ、高く天界にまで達しています。

多くの天の神々は、天の花々を散らして宝塔に供養《くよう》し、その他の神々や、鬼神《きじん》や、人間や、人間以外のあらゆる生あるものが、花・香・首飾《くびかざ》りや、旗、天蓋や、音楽を奉納して、その宝塔に供養し、うやうやしく敬い、尊び、賞めたたえるのでありました。

その時、にわかに宝塔の中から大音声《だいおんじょう》がひびきわたり、お釈迦さまの説法を賞めたたえられるのでした。

「素晴らしい。まことに素晴らしい。釈迦牟尼世尊《しゃかむにせそん》は、すべての衆生《しゅじょう》が平等に仏性《ぶっしょう》を持つことを見通す智慧《ちえ》にもとづき、すべての人に菩薩《ぼさつ》の道を示す教えであり、もろもろの仏が秘要《ひよう》として護《まも》ってこられた妙法蓮華《みょうほうれんげ》の教えを、大衆のためにお説きになりました。そのとおりです。そのとおりです。釈迦牟尼世尊がお説きになることは、すべて真実であります」

説法の座に集まっていた聴衆《ちょうしゅう》の一同は、空中に浮かんでいる美しい大宝塔を仰《あお》ぎ見、また、その塔の中からひびきわたった大音声を聞いて、言い知れぬ有難さにうたれました。

今までこんなことを見たことも聞いたこともないので、不思議の思いをいだきながらも、座から立ち上がり、うやうやしく合掌《がっしょう》して宝塔を礼拝《らいはい》し、そして一方に控えて、敬虔《けいけん》の思いにひたっているのでした。

その時、一座の中にいた大楽説《だいぎょうせつ》という名の大菩薩は、この世のありとあらゆる生あるものがこの不思議な現象に対して心にいだいた疑念を感じ取りましたので、ただちに世尊におたずね申し上げました。

「世尊。どういうわけで、あの宝塔が地から湧き出し、また、その中からあのような音声を出されたのでありましょうか」

二一四—七—下 世尊は、お答えになりました。

「この宝塔の中には、如来《にょらい》の全身、真如《しんにょ》の完全な相《すがた》がおられるのです。はるかなる昔、はるかなる東方の世界に、宝浄《ほうじょう》という国があり、そこに多宝《たほう》と申す仏がおられました。その仏がまだ菩薩として修行しておられたころ、『自分が仏となり、そしてこの世を去った後、いずれの世界においてでも法華経《ほけきょう》が説かれるならば、自分はその教えを聞くために、説法会《せっぽうえ》の前に大塔を出現させ、その教えの真実を証明し、賞賛しよう』という大誓願を立てられました。

その仏が悟《さと》りを完成され、世を去られる時、天上界《てんじょうかい》・人間界《にんげんかい》の多くの人たちを前にして、もろもろの比丘《びく》たちに向かい、『わたしが滅度《めつど》した後、わたしの全身を供養しようと思うならば、仏性を象徴する一つの大塔を建てよ』とおおせられたのです。

そして、いつの世にもその仏は、強くかつ自由自在な願《がん》の力をもって、十方世界のいかなる所でも、そこで法華経が説かれるならば、その前に宝塔を湧き出させ、ご自身がその塔の中にましまして、善《よ》い哉《かな》、善い哉とお賞めになるのです。大楽説よ。そういうわけで、現に今も多宝如来の塔が、法華経の説法をお聞きになるために地中から湧き出し、その中から、善い哉、善い哉と大音声を発せられたのです」

そのとき大楽説菩薩は、釈迦牟尼如来の神通力《じんづうりき》におすがりして、お願い申し上げました。

「世尊、わたくしどもは、ぜひ多宝如来の仏身《ぶっしん》をこの目で拝みとう存じます」

世尊はお答えになりました。

二二五―八―下
「この多宝如来には、深くかつ重大な願があられます。それは、ご自分の宝塔が法華経を聞くためにもろもろの仏の前に出現する時、もしご自分の身を大衆の前に現す必要をお感じになったならば、わたし（釈迦牟尼如来）の分身《ふんじん》の諸仏《しょぶつ》が十方世界のあちこちにおられて説法されているのを、ことごとく呼び返し、一か所に集めた上でなくては身を現さない、という願であります。

それでは大楽説よ。十方世界に散在して説法しているわたしの分身の諸仏を、今ここに集めましょう」

大楽説菩薩は、喜んで申し上げます。「世尊。どうぞお願いいたします。わたくしどもは、世尊の分身の諸仏を拝見し、礼拝し、供養申し上げとう存じます」

そこで仏さまは、額《ひたい》の真ん中の白い渦毛《うずげ》から一筋の光をサッとお放ちになりました。すると、東の方の無数の国土におられるたくさんの仏さまが、その光に照らし出されました。それらの国土はみんな水晶《すいしょう》によって敷きつめられ、りっぱな木々が立ちならび、美しい布の飾りで飾られており、数えきれぬほどの菩薩に充ち満ちています。美しい幔幕《まんまく》が張られ、その上は黄金の網《あみ》で覆《おお》われています。

その国の仏さま方は、美しいお声でさまざまな教えをお説きになっていらっしゃいます。また、無数の菩薩が国々に充ち満ちて、大衆のために教えを説いているのも見えます。南の方も、西の方も、北の方も、四維・上下ありとあらゆる所が、白《びゃく》毫相《ごうそう》の光に照らし出されると、同じようなありさまを現すのでした。

その時、十方のもろもろの仏さまは、それぞれその仏土の菩薩たちにお告げになりました。「善き信仰者たちよ。わたしはこれから娑婆世界《しゃばせかい》の釈迦牟尼仏のみもとに行き、釈迦牟尼仏と多宝如来の宝塔を供養しましょう」

すると、娑婆世界のありさまはたちまち一変して、清浄《しょうじょう》な世界となりました。

一変した娑婆世界のありさまはどうかと言いますと、地面は瑠璃で敷きつめられ、美しい木々が立ちならび、四方八方に延びる広い道は黄金の縄《なわ》で縁《ふち》どられ、村も、町も、都会も、海も、川も、山も、森林もなく、一面にえも言われぬ香りがただよい、天の花々が地を覆い、りっぱな幔幕がその上に張られ、それにはいい音をひびかせる鈴がかけられています。

二七―二―上 また、この説法の座にいる人たち、すなわち真実の法を求める心を持つ人びとだけを残して、その他のすべての天上界・人間界の人たちは、みんな他の世界へ移されてしまいました。

その時、十方世界のもろもろの仏は、それぞれ一人の大菩薩を侍者《じしゃ》として引き連れ、娑婆世界に来られました。そして、おのおの宝樹《ほうじゅ》のもとにおとどまりになりました。宝樹の高さは五百由旬もあり、枝・葉・花・実が順次に美しく栄えてゆきます。それらの宝樹のもとには、りっぱな師子座《ししざ》がしつらえてあり、高さは五由旬にも及び、素晴らしい宝物によって飾られています。

もろもろの仏は、各々その座に着かれ、結跏趺坐《けっかふざ》されました。こうして次々に宝樹のもとにお坐りになり、その尊いおすがたは世界中に充ち満ちました。このようにして世界中が仏さまでいっぱいになっても、二―七―七―下釈迦牟尼仏の分身《ぶんしん》は、まだ一方角《ほうがく》からもおいでにはなりませんでした。

そこで釈迦牟尼仏は、ご自分の分身を迎え入れるために、八方の無数の国土を、みな清らかな寂光土《じゃっこうど》に変えられました。それらの国からは、憤怒《ふんぬ》・貪欲《とんよく》・愚痴《ぐち》・闘《とう》争《そう》などの悪道に堕《お》ちている人が一人もいなくなりました。また、仏法《ぶっぽう》を聞こうとする心のない人も、姿を消してしまいました。仏さまによって清浄化されたその国々のありさまと言えば、地面は瑠璃で敷きつめられ、宝樹によって飾られています。木の高さは五百由旬で、枝・葉・花・実と順次に美しく栄えてゆきます。木の根もとには、高さ五由旬にも及ぶ師子座がしつらえられ、さまざまな宝物で飾られています。

その国土には、大海も、大小の川も、高山もなく、見わたす限り一続きの美しい平地で、仏さまの光を受けない場所は少しもありません。宝玉をつらねて飾った幔幕が普《あまね》くその上に張られ、たくさんの旗や天蓋が立てられ、素晴らしい香りを放つ香が焼《た》かれ、神々が降らした天の花々が地面に散り敷いています。

二一八—四—下
それでもまだ、分身の諸仏のお席が足りませんので、釈迦牟尼仏は、ふたたび八方の無数の国々を変じて、清浄の土《ど》とされました。そこには憤怒・貪欲・愚痴・闘争のような悪道はまったくなく、そのような悪道に陥《おちい》る可能性をもった人びとも影を消してしまいました。

仏さまによって清浄化されたその国々のありさまと言えば、地面は瑠璃で敷きつめられ、宝樹によって飾られています。木の高さは五百由旬で、枝・葉・花・実と順次に美しく栄えてゆきます。木の根もとには、高さ五由旬にも及ぶ師子座がしつらえられ、さまざまな宝で飾られています。また、大海も、大小の川も、高山もなく、見わたす限り一続きの美しい平地で、仏さまの光を受けない場所は少しもありません。宝玉をつらねて飾った幔幕が普くその上に張られ、また、たくさんの旗や天蓋が立てられ、素晴らしい香りを放つ香が焼《た》かれ、神々が降らした天の花々が、地面に散り敷いています。

その時、東方の無数の国々で仏の教えを説いておられた釈迦牟尼仏の無数の分身が、そこへ集まってこられました。同じようにして、各方面の国々におられた分身が次第に来集され、ついに、すべての分身がことごとくお揃いになって、八方にお坐りになりました。こうして、この全宇宙の無数の国土に、諸仏如来が遍満《へんまん》されたのであります。

二一九—四—中
すると、立ちならぶ宝樹のもとの師子座に坐しておられた諸仏は、率《ひき》いてきた大菩薩を使いに立て、釈迦牟尼仏のもとへご機嫌《きげん》うかがいにつかわされました。大菩薩の両手の掌《てのひら》に美しい花をいっぱいに盛っておやりになり、こうおっしゃいました。「善男子《ぜんなんし》よ。そなたは霊鷲山《りようじゆせん》にいらっしゃる釈迦牟尼仏のみもとへまいって、わたしの言葉をお伝えしなさい。『世尊はご病気も、ご苦労もございませんか。お元気で、ご気分も安らかでいらっしゃいますか。また、お側の菩薩や声聞衆《しようもんしゆ》もみな無事でございますか』と、こう申し上げて、この宝華《ほうけ》を仏さまのみ前に散じて供養してから、何の何がしという仏がこの宝塔を開いて欲しいと望んでおりますと、申し上げなさい」と。このようにして、すべての仏が大菩薩をおつかわしになりました。

釈迦牟尼仏は、分身の諸仏がすでにことごとく来集され、それぞれ師子座に坐しておられることを見とどけられ、またそれらの諸仏が同じように宝塔の開かれるのを望んでおられることをお聞きになりますと、ただちに座からお立ちになり、空中へおのぼりになって、宝塔の前におとどまりになりました。一切の聴聞の大衆は、思わずいっせいに立ち上がり、合掌しながら、一心に仏さまを仰ぎ見るのでありました。

二二〇―一一下
するとし釈迦牟尼仏は、右手の指をもって、七宝の塔の扉をお開きになりました。まるで大きな城の門のかんぬきを抜き、鉄ぐさりをはずしておし開くような、重々しい大音響がひびきわたりました。

その瞬間、一同の目には、多宝如来が宝塔の中の師子座に、あたかも禅定《ぜんじょう》に入っているかのような完全なおすがたで坐しておられるのが、映《うつ》し出されました。すると、その多宝如来が、お口を開かれて、「素晴らしい。まことに素晴らしい。よくぞ釈迦牟尼如来は、快《こころよ》くこの法華経をお説きくださいました。わたしはこの教えを聞きたいために、ここにやって来たのです」とおおせられるのでありました。

会衆《えしゅ》の一同は、はるかなる過去世《かこせ》に入滅《にゅうめつ》されたという多宝如来が、その身をお現しになり、このようなお言葉を発せられたのをうかがって、今までに経験したことのない不思議の思いにうたれながら、さまざまな美しい花を散らして、多宝如来と釈迦牟尼如来を供養申し上げました。

二三〇―八―中
その時、多宝仏は、宝塔の師子座の真ん中にお坐りになっておられたおん身を、半ばおずらしになり、釈迦牟尼仏に向かって、「釈迦牟尼仏、どうぞこの座におつきください」とおっしゃいました。釈迦牟尼仏はただちに宝塔の中へ入られ、その半分の座におつきになって、ゆったりとお坐りになりました。

多宝・釈迦牟尼の二如来が、空中に浮かんだ宝塔の師子座にゆったりとお坐りになっているのを拝した大衆は、心の中に次のような思いを起こしました。「仏さまは、あのような高く遠い所にいらっしゃる。われわれも、如来の神通力によって、虚《こ》空《くう》のあそこまで引き上げていただきたいものだ」と。

この大衆の心の動きをお知りになった釈迦牟尼仏は、ただちに神通力をもって大衆を引き上げられ、ことごとく虚空におとどまらせになりました。そして、大音声をもって一同にお告げになりました。「みんなの中のだれが、この娑婆世界において、広くこの妙法華経を説いてくれるのでしょうか。今こそ、その時は近づきつつあります。わたしは、遠からずこの世を去ろうとしています。ですから、この教えをだれかにしっかりと任《まか》せて、いつまでも存続させせたいのです」

世尊は、その意味を、偈《げ》によって重ねてお説きになりました。

真如の主である多宝如来は、久しい昔に滅度されたのに、今こうして法を聞くために、宝塔と共に出現された。

諸人《もろびと》よ。このおすがたを拝しては、どうして法に向かってつき進み、法のために努力せずにいられようか。

多宝如来が滅度されてから、はかりしれない時が経《た》っている。しかも、この世の方々に出現されて法をお聞きになるのは、法が説かれる機会にはめったに遇《あ》い難いからである。多宝如来の本願は、ご自分が滅度された後、あらゆる場所において法が説かれるのを聞きたい……という願いなのである。

また、ガンジス河の砂の数ほどのわたしの分身は、法を聞くため、また久しく滅度されていた多宝如来を拝しようと、ここに来集された。それぞれの教化《きょうけ》された美しい国土を離れ、多くの弟子たちを残し、あらゆる生あるものからささげられている感謝と尊敬をも捨てて、こうしてここに来られたのは、真実の教えを永遠に存続させせるためにほかならない。

わたしは、来集された分身の諸仏に坐っていただくために、二二二―二―下 真実の教えを見ようとしない人びとをすっかりなくし、国土を清浄化した。もろもろの分身仏は、宝樹のもとにとどまられた。はるかに見わたすその光景は、清涼《しょうりょう》の池の面《も》に、無数の美しい蓮華が咲き匂《にお》っているようだ。

さらに近く、宝樹のもとに坐せられた分身の諸仏を拝すれば、全身から輝かしい光明が射しいで、あたかも夜の闇の中に大いなる炬火《たいまつ》をつらねたかのごとくである。

もろもろの仏は、身からかぐわしい香りを放たれ、十方の国々をその香りで満たされた。衆生はその香りを受けて、言い知れぬ喜びにうっとりしてしまうのだ。

譬《たと》えて言えば、大風が小さな木の枝を吹きなびかせるように、多くの衆生ひとりとして、その感化を受けぬものはないのだ。このようにして、真実の教えは永遠に存続されるのだ。

諸人よ。今みんなに聞いておこう。わたしが世を去った後、よくこの教えを護《ご》持《じ》し、読誦《どくじゅ》するものは、だれだれであるか。その人は、今わたしの前で、誓いの言葉を述べるがよい。

そもそも多宝如来は、久しく滅度しておられたのに、法華経の説かれる所には必ず出現して、それが真実の教えであることを証明しようとの誓願によって、ここにおすがたを現され、大音声を発せられた。二二二—一〇—下 この多宝如来と、わたし自身と、わたしの分身の諸仏と、この三者の持つ意味をよく認識しなければならない。

よろしいか。もろもろの弟子たちよ。だれがこの教えを護持してくれるのだろうか。今こそ大願を起こして、この教えを未来永劫《みらいえいごう》に残して欲しい。もし、この法華経をよく護持するならば、それがそのまま、わたしと多宝如来を供養することになるのだ。

二二三—二—上 この多宝仏が、常に宝塔と共にあらゆる世界に出かけられるのは、この法華経の説かれるのをお聞きになるためである。また、いま来集された分身諸仏のように、もろもろの世界を真実の教えの光で美しくする人びとを、供養されんがためである。

弟子たちよ。そなたたちが、もしこの教えを人のために説くならば、それがすなわち、わたしと、多宝如来と、もろもろの分身の諸仏を見ることにほかならないのだ。

もろもろの信仰者たちよ。いま説いたことをよくよく思惟《しゆい》し、心に明らかにせよ。それは難事中の難事だ。まさに心を決定《けつじょう》し、大願《たいがん》を起こさねばならぬ。

二二三—六—下 世の中には、ガンジス河の砂の数ほどの教えがある。これらの教えのすべてを説くのは、難事のようだが、まだまだ易《やす》いことだ。須弥山《しゅみせん》を手に取って、他の世界へ投げ移すのは、不可能事と思われようが、それもまだ易いことだ。足の指でこの大千世界をつき動かし、遠く他の世界へ投げやることも、まだまだ易いことだ。天上界に上《のぼ》って、大衆のためにこの経以外の無数の経典《きょうでん》を説くのも、まだまだ易いことだ。

わたしの滅度の後の悪世において、この法華経を完全に説くことは、それらにくらべてはるかに難事なのである。

二二三—二二—上 たとえば、片手に虚空全体を引っつかんで、自由自在に飛び回ることを考えよう。それなど、まだまだ易いことである。わたしの滅後に法華経を、自らも書《しょ》写《しゃ》して持《たも》ち、人にも書写させるほうが、はるかに難いのだ。

大地を足の爪に乗せ、天上の世界まで飛び上がることも、まだまだむずかしいとは言えない。わたしの滅後の悪世に、しばしの間でもこの法華経を読むほうが、はるかにむずかしいのだ。

たとえば、世界が焼け尽くす時、乾《かわ》いた草を背負ってその大火に入り、しかも焼けずにいることより、わたしの滅後にこの教えを持《たも》ち、ただ一人にでもそれを説くことが、はるかにむずかしいことである。

わたしの説いた八万四千の教えと、(94)十二部《じゅうにぶ》の経すべてを持《たも》ち、人のために説き広め、聞いたすべての人に大神通力を具《そな》えしめるのも、まだむずかしいことではない。わたしの滅後にこの法華経を聞き、その意義を徹底的に質《ただ》した上で、心から信受《しんじゅ》することのほうが、はるかにむずかしいことなのだ。

もしある人が、ガンジス河の砂の数ほどの衆生に法を説き、あらゆる迷いを尽くせしめ、大神通力を身につけしめたとしても、それもまだ難事とは言えない。わたしの滅後に、この教えを崇《あが》め、尊び、堅く持《たも》つことは、それよりはるかに難事なのだ。

二二四—二二—下

わたしが仏の悟りを得てからこのかた、無数の国土で、無数の教えを説いてきた。その中で、この経こそ第一の教えである。もしこの経を堅く持《たも》ちうる人は、すなわち仏身をもつ人である。

もろもろの信仰者よ。わたしが世を去った後、よくこの経を受持《じゅじ》し、読誦するものはだれか。その人は、今ここに誓いの言葉をなせ。この教えは持《たも》ち難い。もし、しばしでもよく持《たも》つものがあれば、わたしは喜びに堪《た》えない。もろもろの仏もまた同様なのだ。

そのような人こそ、諸仏に賞められる人である。真の勇者である。真の意味で努力をし、真の意味で仏戒《ぶっかい》を守り、二二五―六―下 真の意味で無欲の生活をする人である。したがって、ただちに仏の悟りに達しうる人である。

これよりさき、よくこの経を持《たも》ち、学ぶものは、これぞ真の仏子《ぶっし》であって、純粋の善の境地に住するものである。わたしの滅後に、よくこの経の意義を解するものは、これぞ天上界・人間界の大衆に、真実の法への眼《まなこ》を開かしめるものである。さらに後の悪世において、この経をしばしでも人に説くものは、天上界・人間界の一切の人びとから供養を受ける資格のある人である。

提婆達多もわが友（提婆《だいば》達多《だつた》品《ほん》第十二）

その時お釈迦《しやか》さまは、もろもろの菩薩《ぼさつ》をはじめ、多くの天上界《てんじようかい》・人間界《にんげんかい》の人びとや出家《しゆつけ》・在家《ざいけ》の修行者《しゆぎようしゃ》たちに向かって、次のようにお告げになりました。

「わたしは、考えられないほど遠い昔から、法華経の教えを、あきることなく求め続けてきました。過去世《かこせ》においては長いあいだ国王の地位にありましたが、それに満足することなく、無上の悟《さと》りを得たいという願いを起こし、それを求めていささかも退転することはありませんでした。

悟りに達するための六波羅蜜《ろくはらみつ》の修行を完全に成就《じようじゅ》しようとして、まずその第一である布施《ふせ》を徹底的に行じました。そのためには、国王としての大切な乗り物である象や馬も、さまざまな宝物《ほうもつ》も、自分の住む城も、惜《お》しむことをしませんでした。大事な召使いも、家来も、惜しいとは思いませんでした。そればかりか、妻子への愛情をも絶ち、いや自分自身の生命さえ犠牲《ぎせい》にしてもはばからないと、覚悟していました。

二二六—七—上 その当時の人びとはたいへん長寿《ちょうじゅ》で、わたしも非常に長いあいだ王位にありましたが、道を求める心やみ難く、ついに政治を太子に任《まか》せ、四方へ盛んにふれを出して、真実の教えを求めました。その時、わたしの前身である王は次のように宣言したのです。『だれか、わたしのために、世のすべての人を救う教えを説いてくれないだろうか。もしそんな人があれば、わたしは一生涯《しょうがい》その人に仕えて、身の回りの世話から、走り使いまでするであろう』と。

まもなく、一人の仙人《せんにん》がやって来て、こう言うのでした。『わたくしは、世のすべての人を救うすぐれた教えを知っております。それは妙法蓮華経《みょうほうれんげきょう》という教えであります。もし王さまが、わたくしの言うことに従うならば、必ずそれを説いてさしあげましょう』と。

王は仙人の言葉を聞いて、大いに喜び、さっそくその仙人に仕えました。木の実を集めてきたり、水を汲《く》んだり、薪《まき》を拾ったり食事の用意をしたりして、生活万端《ばんたん》の世話をしたばかりか、師の仙人が疲れたとき腰かけるものがなければ、自分が地べたにうつぶせになって、その上に腰かけてもらうという奉仕までしました。それでも王は、法を教えられる喜びによって、身も、心も、疲れたり、倦《あ》いたりすることはなかったのです。

このようにして、王は、千年もの長いあいだ師の仙人に仕え、けんめいに仕事に励み、まめまめしく身の回りの世話をして、不足や不自由をかけるようなことはありませんでした。それもこれも、ひとえに法のためだったのです」

こう話された世尊《せそん》は、重ねて偈《げ》を説いておおせになりました。

遠い遠い過去世のわたしを思い出してみれば、身は一国の王であったが、思いのままの享楽《きようらく》を貪《むさぼ》ることなく、すべての衆生《しゆじよう》を救う教えを求めて、鐘《かね》を鳴《な》らして四方に布告し、そのような教えを知る聖者を探したずねた。もし、それを説いてくれるなら、その人の下僕《げぼく》となって仕えようと告げさせた。

阿私《あし》という仙人がやって来て、大王に申した。「わたくしは、言いようもなく尊《とうと》い教えを知っています。世間に希有《けう》の教えであり、それを知る者はわたくしより外《ほか》にありますまい。もし大王に、わたくしに従ってよく修行なさる覚悟があられるならば、説いてさしあげてもよろしいです」と。

王は、阿私仙の言葉を聞いて大いに喜び、すぐさま仙人に仕え、薪《たきぎ》を拾い、木の実・草の実を集め、日々の生活の必需品《ひつじゆひん》を取り揃え、時に応じてうやうやしくそれを差し上げた。すぐれた教えを聞く喜びが、常に心に満ちていたために、このような奉仕を続けても、心身に怠《おこた》りや疲れを覚えることはなかった。王は、おのれのみの幸福や、五官の喜びを思うことなく、普《あまね》く衆生の幸せのために、至上の教えを知ろうと、ひたすらそれを願ったのだ。ゆえにこそ、身は大国の王でありながら、身を粉にして働くことにより、その教えを成就して、ついに仏の悟りを得たのである。

二二八―二一中 このような由来を、今みんなに語るのは、修行の心がまえの肝要《かんよう》を知ってもらいたいためである。

　そこで言葉をあらためられたお釈迦さまは、もろもろの比丘《びく》たちに対して、驚くべきことをお告げになりました。

「その時の王とは、もちろんこのわたしの前身です。ところで、その仙人はだれであるかと言いますと、実は現在の提婆達多《だいばだった》にほかならないのです。提婆達多という善い友人を持ちえたために、わたしは、菩薩としての六つの徳目を完成し、無量の衆生を慈《いつく》しみ、その苦しみを抜き、喜びを共にし、一切の恩讐《おんしゅう》を捨て去る心を身につけ、仏としてのすべての吉相《きつそう》・福相を得、特に金色《こんじき》に輝く身となり、この世のあらゆるものごとを正しく見通す大きな英知と、何ものをも恐れはばかることなく法を説く勇気と、衆生を温かくいだきとり教化《きようけ》するための徳行《とつこう》と、仏のみが持つすぐれた特質と、自由自在な神通力《じんづうりき》を、すべて完全に具《そな》えることができました。こうして仏の悟りを得、広く衆生を救うことができるのも、すべて提婆達多という善い友人のおかげなのです」

さらにお釈迦さまは、多くの出家・在家の修行者たちに向かって、次のようにお告げになりました。

「提婆達多は、この世を去ってから量り知れぬほどの年月《としつき》を経た後、必ず仏の悟りを得るでありましょう。仏としての名を、天王如来《てんのうにょらい》・応供《おうぐ》・正偏知《しようへんち》・明行足《みようぎようそく》・善逝《ぜんぜい》・世間解《せけんげ》・無上士《むじようじ》・調御丈夫《じようごじようぶ》・天人師《てんにんし》・仏《ぶつ》・世尊と申し、その教化される世界は天道《てんどう》と名づけられるでしょう。天王仏は二十中劫《ちゆうこう》のあいだ世におとどまりになり、広く衆生のためにすぐれた教えをお説きになるでしょう。その教えによって、ガンジス河の砂の数ほどの人びとが、すべての迷いを除き去った境地に達することができ、量り知れないほどの人びとが、自らの思索《しさく》と修行によって悟りを得ようとする決意を起こし、また同じように数えきれないほどの人びとが、最高の悟りを求める志《こころざし》を起こし、諸法《しょほう》がほんらい空《くう》であるという真理を究めて、ふたたび迷いへ逆転することのない境地に達するでありましょう。

天王仏が世をお去りになってからも、その教えは二十中劫のあいだ正しく残るでしょう。その全身の遺骨《いこつ》をまつって、七宝《しっぽう》づくりの素晴らしい大塔が建てられ、もろもろの天上界・人間界の人びとが、さまざまな花を供え、香をふりかけ、香を焼《た》き、香をからだに塗《ぬ》り、衣服や、首飾《くびかざ》りや、旗・のぼりや、りっぱな天蓋《てんがい》などをささげ、音楽を奏し、賛歌を歌って、その美しい大塔を礼拝《らいはい》し、供養《くよう》することでありましょう。

そして、量り知れないほど多くの衆生が、あらゆる迷いを除き尽くした境地に達し、同じく無数の衆生が、自らの修行によって解脱《げだつ》の悟りに達し、また、考え及ぶことのできぬほど多数の衆生が、最高の悟りを求める決意を起こし、あくまでもその修行をつらぬいて後戻りすることのない心境に達することでありましょう」

二二九—五—下
こうお説きになったお釈迦さまは、あらためて、もろもろの比丘にお告げになりました。

「未来世《みらいせ》の人間の中に、もし信仰の篤《あつ》い男女があって、妙法華経のこの提婆達多品の教えを聞いて、素直な心で信じ、敬《うやま》い、疑惑《ぎわく》を生ずることがないならば、その人は悪道に陥《おちい》ることなく、どこに生まれるにしても、必ず仏のみ前に生を享《う》けるでありましょう。そして、その生まれた所では、常にこの教えを聞くことでありましょう。

二二九―八―下

もし人間界や天上界に生まれ変わるにしても、そこでは非常に程度の高い、精神的な喜びに満ちた生活をすることでありましょう。そして、ふたたび仏の教えを聞く機会に恵まれれば、凡夫《ぼんぷ》の境界《きょうがい》を離れぬまま、仏に近い境地に達することができましょう」

こうして、お釈迦さまが提婆達多の物語を終えられますと、さきに地から湧《わ》き出た大塔中の多宝如来《たほうにょらい》にお供している智積《ちしゃく》という菩薩が、多宝如来に申し上げました。

「もうそろそろ本土へお帰りになるころあいでございましょう」

すると、釈迦牟尼仏《しゃかむにぶつ》が智積をおとどめになって、

「善男子《ぜんなんし》よ。しばらくお待ちなさい。わたしの弟子に文殊師利《もんじゅしり》という菩薩がおりま

す。その菩薩に会って、悉有仏性《しつうぶつしょう》（万人ことごとく平等に仏性を有する）という至上の真実の法についていろいろ話しあってから、本土に帰られたほうがいいでしょう」とおおせられました。

そのお言葉が終わるか終わらないうちに、当の文殊師利菩薩が、千枚の花びらを持ち、車の輪ほどもある大きな蓮《はす》の花の上に坐し、やはり美しい蓮華の上に坐した多くの菩薩たちと共に、大海の底の娑竭羅宮《しゃからぐう》からひとりでに湧き出してきました。そして、虚空《こくう》を飛んで霊鷲山《りょうじゅせん》の上空に達しますと、そこで蓮華の座から下りて、仏さまのおん前にまいり、釈迦牟尼仏と多宝仏のみ足に額《ひたい》をつけて礼拝し、恭敬《くぎょう》の意をささげてから、智積菩薩の所に行って、お互いに挨拶《あいさつ》を交わし、共に一方に坐りました。

智積菩薩は、文殊菩薩にたずねました。

「あなたは、大海の底に行かれて、何人ぐらいの衆生を教化されたのですか」

文殊菩薩は答えました。

「ほとんど無数です。とても数えきれません。わたしの口からも言えませんし、あなたの心で推測してもらうこともできません。ちょっとお待ちください。今、その証拠が自然に現れてくるでしょう」

その文殊菩薩の言葉がまだ終わらないのに、たちまち無数の菩薩が美しい蓮の花に乗って大海から湧き出してきたかと思うと、霊鷲山の上空に集まってきました。これらの菩薩は、みんな文殊菩薩が教化し、りっぱに育て上げた人たちです。すべての人が菩薩としての行を完成しており、一同口を揃えて、六波羅蜜の大切さを強調するのでありました。二三〇―一〇―下 また、もと声聞《しょうもん》であった人は、やはり虚空にあって、声聞の修行の大切なことを強調するのでしたが、しかし、現在では、その人たちも大乗《だいじょう》の空の教えを修行する菩薩にほかならないのです。そのありさまを眺めていた文殊菩薩は、智積菩薩のほうをふり返って言いました。「わたしが大海において教化した結果は、このようなものです」と。

そのありさまをじっと見ていた智積菩薩は、文殊菩薩のほうに向きなおると、即座に偈をつくり、それを朗唱して文殊菩薩を賞めたたえました。

大いなる智慧《ちえ》と、大いなる徳を具えたお方よ。あなたは、真の勇気と、倦くことを知らぬ意志力をもって、無数の衆生を教化された。

今、ここに集まっている人びとと共に、わたしはその証拠をまざまざと見ることができた。あなたが、すべてのものごとの本当の相《すがた》について、分かりやすく説き明かし、すべての衆生を仏の境地に導くための真実の教えを明らかにし、広くもろもろの人びとを導いて、すみやかに悟りを開かせしめたことが、はっきり分かった。

それにしても、あなたは、いったいどのような経典《きようでん》を説かれたのか。

文殊菩薩は答えました。「わたしが海中において説いたのは、ただ妙法蓮華経のみです。常にそれだけを説いていたのです」

智積菩薩は、さらに問いかけます。

「その妙法蓮華経とは、非常に奥深い、言い知れぬ高遠な意味をもった教えで、すべての教えの中の宝とも言うべきもののようです。そして、世の人にとってなかなかめぐり遇い難い教えのように思われます。ところで、この教えを一心に修行して、すみやかに仏の悟りを得ることができそうな人が、あなたの教化した人の中にありますか」と。

文殊菩薩は答えました。

「あります。娑竭羅竜王《しやからりゆうおう》の娘がそれです。まだ八歳にしかなりませんが、智慧があり、機根《きこん》がすぐれており、人間が身や口や心で行う行為のなりゆきをよく見通すことができるのです。また、教えをよく記憶し、善は身に持《たも》ち、悪はおしとどめて発しないようにする力を得、もろもろの仏さまがお説きになった深い教えの奥義をことごとく理解し、しっかり心に保持しています。また、深く精神を統一して、あらゆる法を悟ることができました。その瞬間に、最高の悟りを得たいという心を起こし、その求道心《ぐどうしん》はけっして後戻りすることはありませんでした。

法を説くのも自由自在であり、すべての人びとに対して、自分の生んだ赤子に対するのと同じような愛情をいだいているのです。一切の人を救い、利益《りやく》する徳と力が具わっており、口で述べることは非常に奥深く、しかも幅が広くて、すべての人に当てはまる真理であります。また、慈悲《じひ》深く、謙虚であり、心は和やかなうちにも気高さをたたえています。竜女《りゅうにょ》は、このように、無上の悟りに達する資質を具えているのです」

それを聞いた智積菩薩は、いかにも信じられぬといった口ぶりで、言葉を返しました。

「しかし、お釈迦さまをごらんなさい。量り知れないほどの長い年月、難行苦行をなさり、功徳を積み重ねられ、常に菩薩の道を求め行じられて、かた時もお休みになったことはありませんでした。広い三千大千世界を見わたしてみても、前世《ぜんせ》のお釈迦さまが、菩薩として衆生を救うために身命《しんみよう》をかけられなかった場所は、芥子粒《けしつぶ》ほどもないのですよ。お釈迦さまでさえ、そういうご苦労をなさった後に、ようやく仏の悟りを得られたのではありませんか。それなのに、その小さな女の子が、ほんのしばらくのうちに仏の悟りを得ようなどとは、どうしても信じられません」

文殊菩薩と智積菩薩の対話は、まだ終わりには達していなかったのですが、その時、竜王の娘が忽然《こつぜん》としてお釈迦さまのおん前に姿を現しました。そして、み足に額をつけて礼拝し、一方へ退《しりぞ》きますと、次のような偈を歌って、お釈迦さまのお徳を賞めたたえました。

仏さまは、衆生がどのような心を持てば罪をつくり、どのような心を持てば福《しあわせ》を生み出すかという、あらゆる場合の姿を見極めていらっしゃるばかりでなく、人間の本質はそうした罪福を超えた浄《きよ》らかな仏性であることを、深く見通していらっしゃいます。その深いお智慧の光によって、普く世界中を照らしてくださっています。

二三二―九―下
仏さまのご本体（法身《ほっしん》）は、見ることも考えることもできぬほど、浄らかであられますが、それが目に見えるおすがたとして現れる時は、三十二の吉相・八十の福相をすべてお具えになり、ご本体の浄らかさを象徴なさっておられます。天上界・人間界のすべての人が大恩教主《だいおんきょうしゅ》として仰《あお》ぎ、鬼神《きじん》のたぐいもことごとく心からお敬い申し上げております。ありとあらゆる生あるもので、そのみ教えに帰依《きえ》していないものはありません。

二三二―一一―下
文殊菩薩さまのお説きくださった法華経をうかがって、それを心から信受《しんじゅ》して、わたくしが悟りを得たということは、ただ仏さまだけが明らかにご存じのことでございましょう。わたくしは、仏さまのお説きくださいました大乗の教えを分かりやすく説明して、苦しみ悩んでいる衆生を救いたいと存じます。

その時、舎利《しゃり》弗《ほつ》がかたわらから口を出し、竜女に向かって言いました。

「お前さんは、まもなく無上の悟りを得るように考えているようだが、わたしにはとうてい信じられない。なぜかと言えば、女の身は煩悩《ぼんのう》が多く、仏さまの教えを受け入れるにふさわしくないからだ。どうして無上の悟りなどが得られようか。仏の悟りに達する道は、まことにはるかなる道程《どうてい》なのだ。量り知れないほどの年月努力を尽くして修行を積み、六波羅蜜を完全に実践した後、ようやく到達できるものである。とうてい女人の及ぶものではない。しかも、女人の身にはさまざまな障《さわ》りがあって、次の五つの地位には達せられないものとされている。第一には、梵天王《ぼんてんのう》となることができない。第二には、帝釈天《たいしゃくてん》となることができない。第三は、魔王《まおう》になることができない。第四には、徳によって天下を統一する大王になることができない。第五には、仏となることができない。それなのに、女人の身であるそなたが、どうしてすみやかに仏となることができるのか」

竜女は舎利弗の言《げん》には何も答えず、手に持っていた一つの宝珠《ほうじゅ》を仏さまにささげました。その宝珠は、三千大千世界にも値《あたい》するほどの尊いものでした。仏さまは、ただちにそれをお受け取りになりました。

竜女は、智積菩薩と、舎利弗尊者に申しました。

「ごらんのとおり、わたくしが宝珠をささげましたら、世尊はお受けくださいましたが、お受け取りになるのは早かったでしょうか、どうでしょうか」

二人は異口同音に答えました。

「早かった。実に早かった」

すかさず、竜女は申しました。

「わたくしの成仏《じょうぶつ》はもっと早いのですよ。あなた方の神通力によってごらんになっていてください」

するとたちまち一同の目に見えてきたのは、竜女が忽然として男子に変わり、菩薩行を完成した尊いすがたとなって南方の無垢世界《むくせかい》という世界に行き、美しい蓮華に坐して仏の悟りを成じ、三十二の吉相・八十の福相を現し、普く十方の一切衆生のために法華経の教えを説いているありさまでありました。

それをはるかにうち眺めた娑婆世界の菩薩・声聞をはじめ、天上界の人びとも、竜や、さまざまな鬼神のたぐいも、人間および人間以外のあらゆる生あるものが、竜女が仏の悟りを得て無垢世界の人・天のために普く法を説いているありさまを見て、大いなる喜びを覚え、皆うやうやしく礼拝するのでありました。

無垢世界の無数の衆生は、竜女の説く法華経の教えを聞いて、よく理解し、仏の教えを修行して退くことのない堅固な意志を持つようになり、そして、多くの人びとが、いつかは必ず仏の悟りを得るであろうという保証を受けることができました。その尊い出来事に感動して、無垢世界の大地もうち震《ふる》ったのでありました。

そのありさまをうち仰いでいた娑婆世界の人びとも、非常な感動を覚え、悟るところも大きく、多くの人びとが、仏の教えを修行して退くことのない堅固な意志を持つようになり、あるいは仏の悟りを求める決意を起こし、いつかは必ずそれを達成するであろうという保証を得ることができました。

智積菩薩も、舎利弗も、その場に集まっていた一同も、じっと黙りこんだまま、その尊い事実を心の奥深く受け止めたのでありました。

いかなる困難をも耐え忍んで（勧持品《かんじほん》第十三）

その時、薬王菩薩《やくおうぼさつ》と大楽説菩薩《だいぎょうせつ》は、その率《ひき》いる二万人の菩薩たちと共に、仏さまのみ前において誓いの言葉を申し述べました。

「世尊《せそん》。どうぞ、この法華経《ほけきょう》の教えのゆくさきについてご心配くださいますな。わたくしどもは、仏さまがご入滅《にゅうめつ》になりました後も、必ずこの経典《きょうてん》をしっかりと持《たも》ち、学び、人びとのために説き広めましょう。

後の悪世《あくせ》の衆生《しゅじょう》は、善いことをしようとする心がだんだん少なくなり、増上慢《ぞうじょうまん》の人が多くなりましょう。その上、すべてのことに報酬《ほうしゅう》を欲しがる心が強くなり、ひとを恨《うら》んだり、憎んだり、ねたんだりする気持が増大し、澄みきった心境《きょうけ》を得たいという志《こころざし》などからは遠く離れてしまうでしょう。そういう人たちを教化するのはたいへんむずかしいことでしょうが、わたくしどもは大きな忍辱《にんにく》の心を起こし、この教えをしっかりと守り、学び、書写《しょしゃ》し、説き広め、実践してゆくことに、命をかける所存でございます」

するとと、会衆《えしゅ》の中の、さきに受記《じゅき》を得た五百人の阿羅漢《あらかん》たちも進み出て、仏さまに申し上げました。「わたくしどもも、他の国々にまいり、広くこの教えを説きますことを、お誓い申し上げます」

続いて、さきに受記を得た学・無学の八千人の比丘《びく》たちがいっせいに立ち上がり、仏さまに向かって合掌《がっしょう》しながら、誓いの言葉を申し上げました。

「世尊。わたくしどもも、必ず他の国土においてこの教えを説き広めましょう。なぜ他国で説くかと申しますと、この娑婆国《しゃばこく》の人びとは心が非常に悪く、増上慢の気持が強く、徳をもって人をさいわいすることは実に少なく、怒りやすく、精神が濁《にご》っており、へつらいとこじつけが上手で、不正直でありますので、わたくしどもにとっては荷が重いからでございます」

その時、仏さまの叔母《おば》にあたる摩訶波闍波提比丘尼《まかはじゃはだいびくに》は、まだ学修《がくしゅう》中の比丘尼および学修を完了した比丘尼など六千人と共に座から立ち、一心に合掌して仏さまのお顔を仰《あお》ぎ見たまま、まじろぎもしないのでありました。

それをごらんになった世尊は、摩訶波闍波提（憍曇弥《きょうどんみ》）に向かっておっしゃいました。

「どうして、そのような心配そうな顔でわたしを見られるのですか。あなたは、わたしがあなたをはっきりと名指しして授記することがないとでも思っていらっしゃるのですか。憍曇弥よ。わたしはさきに、一切の声聞《しょうもん》すべては、すでに授記されているのと同然だと説いたではありませんか。

しかし、今ここで成仏《じょうぶつ》の保証をはっきり知りたいのならば、知らせてあげましょう。あなたは将来の世において、数限りない諸仏《しょぶつ》のもとで、その教えを説く偉大な説法者《せっぽうしゃ》となるでしょう。あなたの率いる、すでに学修を完了した比丘尼や、まだ学修中の比丘尼六千人も、共に説法者となるでしょう。そのようにしてあなたは、次第に菩薩の修行を積んでゆき、ついにそれを完成して、仏の悟《さと》りを得るでありましょう。仏としての名を、一切衆生喜見如来《いっさいしゅじょうきけんにょらい》・応供《おうぐ》・正徧知《しょうへんち》・明行足《みょうぎょうそく》・善逝《ぜんぜい》・世間解《せけんげ》・無上士《むじょうじ》・調御丈夫《じょうごじょうぶ》・天人師《てんにんし》・仏《ぶつ》・世尊と申すでありましょう。

憍曇弥よ。この一切衆生喜見仏は、女性の菩薩に成仏の保証を与え、また、そうして仏となった多くの女性菩薩が次々に授記して、それぞれ無上の悟りを得ることを保証するでしょう」

摩訶波闍波提比丘尼の授記を目のあたり見ていた羅睺羅《らごら》の母耶輸陀羅《やしゅたら》比丘尼は、心の中に——世尊は今の授記でもわたしの名をおっしゃらなかった。どうしたわけだろう——という思いが湧いてくるのを、どうすることもできませんでした。それをすぐお察しになった世尊は、耶輸陀羅比丘尼にお告げになりました。

「そなたは、未来世《みらいせ》において数知れぬほどの諸仏の教えを受け、その教えのもとに菩薩の修行を積んで、りっぱな説法者となり、次第に仏の悟りを成就《じょうじゅ》し、ついに善《ぜん》国《こく》という国で仏となることができるでしょう。名号《みょうごう》を具《ぐ》足千万光相《そくせんまんこうそう》如来・応供・正偏知・明行足・善逝・世間解・無上士・調御丈夫・天人師・仏・世尊と申し、その寿命は量り知れぬほどでありましょう」

摩訶波闍波提比丘尼と耶輸陀羅比丘尼、及びそれらの率いる比丘尼たちは、授記のお言葉をうかがって、非常にうち喜び、これまでに経験したこともない感激を覚えました。そして、すぐ仏さまのおん前で偈《げ》を唱え、お礼を申し上げました。

世尊は一切のものの師であられ、天上界《てんじょうかい》・人間界《にんげんかい》の衆生を安らかな境地に導いてくださいます。わたくしどもも、いま授記のお言葉をうかがい、何の悩みも、憂《うれ》いも、消えてしまいました。

偈を唱え終わると、比丘尼たちは、世尊に向かって申し上げました。

「世尊。わたくしどもも、他国におきまして、広くこの教えを宣《の》べ伝えることをお誓い申し上げます」

二三七—二—上 無言でうなずかれた世尊は、一方に控えていた無数の菩薩たちに、慈眼《じがん》をそそがれました。その菩薩たちは、すべて不退転《ふたいてん》の境地に住し、休むことも退《しりぞ》くこともなく教えを説き広め、あらゆる善をすすめ、あらゆる悪をおしとどめる力を具《そな》えているものでありました。その菩薩たちは、いっせいに立ち上がって仏さまのおん前に至り、一心に合掌しながら心の中に思いました。

――もし世尊がわれわれに、この経典をしっかりと持《たも》ち、世に説き広めよとお命じになるならば、必ずお言葉のとおり、広くこの教えを宣べ伝えるだろうに、仏さまは黙然《もくねん》として何もおっしゃらない。われわれは、今どうするのがいちばん正しいのであろうか――

菩薩たちは、心中の自問《じもん》に対して、ただちに答えを得ました。すなわち、仏さまのみ心に従い、自らの本願を満足させるためになすべき道を、しかと思い定めたのです。そして、仏前において力強く、誓いの言葉を申し上げるのでした。

二三八―五―下
「世尊。わたくしどもは、世尊がご入滅になりました後、十方世界をくまなくめぐり、いくたびとなく往復し、多くの衆生にこの経を書き写させ、信受《しんじゅ》させ、保持《ほじ》させ、読誦《どくじゅ》させ、その意味を解説させ、教えのとおり修行させ、そして正しく記憶させましょう。と申しましても、それは、わたくしどもの力の及ぶところではございません。仏さまのお力によってこそ、できることでございます。どうぞ、世尊、仏の世界においでになりましても、はるかにわたくしどもをお守りくださいませ。お願いでございます」

さらに菩薩たちは、声を合わせて偈を唱え、お誓い申し上げるのでした。

どうぞ、ご心配くださいますな。仏さまがおかくれになった後の、恐ろしい悪世においても、わたくしどもはこの教えを説き広めます。さまざまな無智の人びとが、悪口を言ったり、罵《ののし》ったり、あてこすりを言ったりしましても、あるいは刀杖《とうじょう》をふるって迫害を加えたりしましても、わたくしどもはじっとそれを忍びましょう。

末の世の出家《しゅつけ》たちは、智慧《ちえ》が邪《よこしま》にはたらき、へつらい・こじつけの心が盛んになり、悟りもせずに悟ったように思い込む、うぬぼれ心のとりこになっているでしょう。

二三九—一—下 また、静かな所に住み、ボロをつづり合わせた粗末な衣を着、俗世から離れて行い澄まし、自分では真実の道を行じているものと錯覚し、世間の大衆を見下す者もありましょう。そのような出家たちは、悟り澄ました顔をしながら、内心は物欲や権勢欲や名誉欲に引っかかっていますので、好んで金持ちや地位の高い人たちのために、法を説き、そういう人びとにあたかも神通力《じんづうりき》を持つ羅漢のように敬《うやま》われることでしょう。

二三九—四—中 そればかりか、腹が黒く、世俗の欲にとらわれていながら、いちおう俗世から離れた生活をしているのを盾《たて》に取り、大衆に立ちまじって法を説くわたくしどもの、あらを探しては非難するでしょう。

そのような人たちは、法華経を説くものを、次のように誹謗《ひぼう》することでしょう。「あの連中は、利益《りやく》を貪《むさぼ》るために、外道《げどう》の教えを取り入れて経典をつくり、世間の人をたぶらかし、また、名誉を得ようという気持から、さまざまに解説して宣伝するのだ」と。

いつでも、だれにでも、わたくしどもを非難しようと構えておりますので、国王に会えば国王に、大臣に会えば大臣に、バラモンに会えばバラモンに、長者に会えば長者に、また他の比丘たちに会えばその比丘たちに、わたくしどもを悪《あ》しざまに言い、「あの連中は邪な考えを持ち、外道の教えを説いている」と言いふらすでしょう。

二三九―一〇―下 わたくしどもは、仏さまを心から敬っておりますゆえ、仏さまが最高の教えとお説きになるこのお経を、仏さまと同じように敬います。このお経を守り、広めるためには、以上のようなもろもろの迫害や困難をも、すべてじっと忍びます。また、ひやかし半分に「お前たちがみんな仏だって……えらいもんだよ」などと嘲《あざけ》りの言葉を吐《は》きかけるものがあっても、それらの軽蔑《けいべつ》・慢罵《まんば》をすべてこらえます。

二三九―一二―下 濁りきった末の世には、いろいろと恐ろしいことがありましょう。悪鬼《あっき》が人の心の中に忍び込み、わたくしどもを罵り、毀《そし》り、辱《はずか》しめることもありましょう。しかし、わたくしどもは、仏さまを敬い信ずるがゆえに、忍辱の鎧《よろい》を着てそれを忍びましょう。この教えを説き広めるという一大事のために、あらゆる困難に耐えましょう。

二四〇―三―中

わたくしどもは、命さえ惜《お》しいとは思いません。ただ仏さまのお説きになったこの無上の教えに触れない人が一人でもいることが、何より惜しいのでございます。

わたくしどもは、未来世において、仏さまから託された教えをしっかり護《まも》ってまいりましょう。世尊がよくご存じのとおり、濁った末の世のつまらぬ出家たちは、仏さまが、相手により場合によって、最もふさわしい方法を用いられ、さまざまに説き方を変えてお説きになった教えの真実をくみ取ることができますまい。わたくしどもは、そういう人たちに悪口を言われたり、排斥されたり、寺から追い出されるようなこともしばしば起こることでしょう。けれども、そのようなさまざまな困難をも、布教という仏さまのお言いつけを大事に思うために、すべて耐え忍びましょう。

このように、いかなる困難も迫害も恐れませんから、法を求める者が一人でもあれば、小さな村であろうと、大きな都であろうと、どんな強敵が待ち構えていようとも、そこへ出かけて行って、仏さまから託されたこの法華経を説きましょう。

わたくしどもは、まさしく世尊のお使いでございます。それを思えば、どのような大衆の中にあっても、恐れはばかることはございません。わたくしどもは、全力を尽くして、正しく法華経を説きましょう。仏さま、どうぞご安心くださいませ。

わたくしどもは、世尊のおん前で、また十方からお集まりの仏さま方のおん前で、以上のことをお誓い申し上げます。どうぞ、わたくしどもの心のうちをおくみ取りくださいませ。

生活と布教の心がまえ（安楽行品第十四《あんらくぎようほん》）

その時、文殊菩薩《もんじゆぼさつ》は、お釈迦《しやか》さまに質問いたしました。

「世尊《せそん》。この多くの菩薩は、まことに希《まれ》に見る人たちでございます。仏さまを心から敬《うやま》い、仏さまの教えに心からお従いしておりますゆえに、将来の険悪な世の中においてこの法華経《ほけきよう》を護持《ごじ》し、学び、説き広めようという大きな願いを起こし、誓いを立てました。ところで、この菩薩たちは、その険悪な後の世において、どうすればよくこの経を説くことができるのでございましょうか」

お釈迦さまは、文殊菩薩の質問に対して、次のようにお教えになりました。

「もし菩薩たちが、険悪な後の世においてこの教えを説こうとするならば、次の四つの基本的な心得が必要です。第一には、菩薩としての身のふるまい、及び対人関係における基本的な心得です。それらの心得をしっかり身につけ、その上で多くの人びとのためにこの教えを説かなければなりません。

文殊師利《もんじゅしり》よ。菩薩の身のふるまいの基本的な心得とはどんなものかと言えば、まず、いつも忍辱《にんにく》の境地におり、柔和《にゅうわ》な心を持ち、我《が》を張らず、正しい道理によく従い、挙動に落ち着きがあり、どんなことがあっても驚いたり、あわてふためいたりしないことです。また、常に、すべてのものはもともと空《くう》であることを観じ、現象にとらわれて行動することなく、しかも、すべての現象は起こるべくして起こったものである事実をも認め、何ごとにもとらわれて行動することがないことです。これらが、菩薩の身のふるまいの基本的な心得です。

二四一―二二―上 どんなことが、菩薩の対人関係における基本的な心得であるかと言いますと、まず第一に、菩薩は国王や王子・大臣・官長といった地位や勢力のある人に、何か求める気持があって近づいたり、慣《な》れ親しみ過ぎてはいけません。

二四二―一―中 第二に、さまざまなほかの宗教の人たちや、世俗的な文筆家たちや、唯物思想家《ゆいぶつしそうか》や、極端な唯心主義者《ゆいしんしゅぎしゃ》にも、うっかり慣れ親しんで、引き込まれてしまってはなりません。

また、つまらぬ勝負事や、拳闘《けんとう》や、相撲《すもう》や、力くらべや、魔術のようなものに心を奪われたり、そのような職業人と深く交際するようなことは避けるべきです。

死刑執行などを仕事とする人たちや、牧畜業者や、漁師など、生活のために殺生《せつしよう》しなければならない人たちに深くつきあって、その雰囲気《ふんいき》に染《そ》まってはいけません。しかし、そういう人たちが法を聞きに来たら、親切に説いてあげなさい。その場合も、ただただ大慈悲心《だいじひしん》から説くべきであって、何か心に利益《りえき》を望むようなことがあってはなりません。

二四二―五―下
また、ただ自分だけが救われればよいという気持で教えを求めている出家《しゆつけ》・在家《ざいけ》の修行者《しゆぎようしや》たちに、慣れ親しんではいけません。また、そのような人たちに、法について問い質《ただ》すようなことも避けたほうがよろしい。

また、僧房《そうぼう》や、経行《きようぎよう》の場所や、講堂の中などでも、一緒にいないようにすることです。

しかし、向こうから法を聞きに来たら、相手と場合に応じた適切な方法で、正しい法を説いてあげなさい。その場合も、相手から何かを求める心があってはいけません。

文殊師利よ。菩薩たるものは、また男女間のことについては特に注意しなければなりません。女人《によにん》に法を説く時は、相手に情欲を起こさせるような態度をとってはなりません。また、女人と会うことを欲する気持もつつしむべきです。また、他の家に入って、少女や、処女や、寡婦《かふ》と談笑するようなことはよくありません。生理的に不完全な男性に近づいて、親しくするのも避けることです。

二四二―二二―上　ただ一人で他人の家に入らないように、心がけなさい。もし、やむをえぬ必要があって一人で入る時は、終始、仏と共にある気持を持ち続けなければなりません。

もし女人に向かって法を説く機会があったとしても、歯を見せて笑うようなことがあってはなりません。胸を出すようなだらしない服装をしてはなりません。法を説くためにも、あまりなれなれしくするのは、よくないことです。まして、そのほかのことならば、なおさらです。

好んで年少の弟子や、少年僧や、かわいい子どもを身近に置くようなことも、好ましくありません。そういった年少の男子と共に学びたいという気持を持つのも、賞めたことではありません。

以上のことをつつしむと同時に、常に坐禅《ざぜん》を好み、静かな所で精神を統一することに心がけなさい。文殊師利よ、これが初心の菩薩にとって、対人関係の上で心すべきことがらであります。

二四三―五―中 次に、菩薩たちよ。この世界のあらゆるものごとの真実の相《すがた》を見極める時、すべてのものごとは空であり、本来のままの相《すがた》であり、二四三―六―上 引っ繰り返っていることはなく、動くこともなく、退《しりぞ》くこともなく、ころがったりすることもなく、あたかも虚《こ》空《くう》のように、固定した実体はないのであります。

二四三―七―上 一切のものごとは、言葉によって説明することも、表現することもできないものであります。何ものかから生じたわけでもなく、どこからか出てきたものでもなく、無いところから湧き起こってきたものでもありません。それ自体に名もなければ、それ自体のすがたというものもなく、この世に存在してはいるけれども、固定した実体のあるものではありません。量としてはかることもできないし、ある所までであってそれ以外はないというような、極限のある存在でもありません。また、何ものかにさえぎられるとか、妨《さまた》げられるとかいうような不自由性はまったくないものであります。

二四三―八―中 この世のすべてのものごとは、ただ因縁《いんねん》が合って存在しているのであり、いわば仮の現れであります。顛倒《てんどう》した考えをするから、実体があるように見てしまうのです。

ですから、わたしは『常に、自ら進んで、このようにすべてのものごとの本当の相《すがた》を観《み》なさい』と説くのであります。これが、菩薩の対人関係における第二の心得であります」

世尊は、今お説きくださった教えを、さらにあらためて、偈《げ》によってお説きになりました。

後世の険悪な時代に、初心の菩薩たちがこの教えを、何ら恐るることなく、自信をもって説こうとするならば、次のような、行為の上の心得と、対人関係の心得を、身につけていなければならない。

国王・王子・大臣・上位の役人などに、下心をもって近づくことがあってはならない。危険な、あるいは感心できぬ戯《ざ》れごとに従う人や、殺生を生業《せいぎょう》とする者に慣れ親しみ、その雰囲気に染まることがあってはならない。

他の宗教の専門家・バラモンの修行者・悟《さと》りもせずに悟ったつもりの慢心《まんしん》の人、小乗《しょうじょう》の教えにとらわれている学者などに親しんで、誤った考えに引き込まれることがあってはならない。

仏の戒《いまし》めや教団の規律を破る修行者はもちろんのこと、名前のみの阿羅漢《あらかん》にも親近《しんごん》してはいけない。戯《たわむ》れたり、笑いかけたりするような比丘尼《びくに》や、婦人の信者はもとより、憂《う》き世《よ》を離れて、われひとり平安の境地を求めようとする、女性信者にも、五欲に深くとらわれて親近してはいけない。

とはいえ、もしこのような人たちが、素直な気持で菩薩のもとへ来て、真の仏道《ぶつどう》を聞こうとするならば、何ものをも恐れはばかることなく、しかも何ら求めるところなく、自信をもって堂々と法を説いてあげるがよい。

寡婦や、処女や、生理的に不完全な男性などにも、むやみになれなれしくしてはならない。また、屠殺《とさつ》や、食肉の処理にたずさわる人や、猟師や、漁夫など、利益のために殺生する人びとに深くつき合い、その雰囲気に染まることも警戒しなければならない。

食肉を売って生活する人や、売春宿の主人などに、親近してはならない。危険な力わざや、さまざまな遊技などに従事する人にも、また、いかがわしい女性たちにも親近してはならない。

他から見えぬ所で、婦人のために一人で法を説いてはならない。もし、やむをえずそれをする場合は、けっして冗談《じょうだん》を言ったり、笑ったりしてはならない。村里に入って托鉢《たくはつ》する時は、必ず他の比丘を伴《ともな》って行くがよい。もし他の比丘がいない時は、一心に仏を念じながら行くことだ。以上が、初心の菩薩のための、行為に関する心得と、対人関係の心得である。これらの心得をよく守り、身も心も安らかに法を説くがよい。

二四五—三—上 また、菩薩乗・縁覚乗《えんがくじょう》・声聞乗《しょうもんじょう》など、それぞれの教えにとらわれるのはよくない。世間の法と、(54)出世間《しゅつせけん》の法、それぞれにとらわれるのもよくない。それらを包括し、かつ超越した一仏乗《いちぶつじょう》をこそ、すべての基盤としなければならないのだ。

また、この人は男だから、この人は女だから、というような区別をつけず、常に人間としての本質に目を向けなければならない。二四五—四—中 何ごとについてもそのとおりであって、現象の末《すえ》に迷わされないこと。これらも、菩薩の行為の心得である。

二四五—五—上 すべてこの世の現象は、もともと空であって、固定したものではない。いつまでもそのままで在《あ》るものではなく、生じたり滅したりするものではない。智慧《ちえ》ある人は、このような悟りを基盤として、世のすべての人に対さなければならない。

二四五—六—中 凡夫は、ものごとを顚倒して見るために、有《う》であるとか、無《む》であるとか、これは実在であり、これは実在でないとか、これは生じたもの、これは生じたものではないとか決めつけてしまうのです。そのような顚倒したものの見方から離れて、菩薩は静かに精神を統一し、あたかも須弥山《しゅみせん》のごとき不動の心をもって、すべてのものごとは本来〈空〉であるという悟りに徹せねばならない。

二四五—八—下 この世の一切のものごとを正しく見極めてみると、それらはすべて固定した実体をもつものでなく、そういう実体をもたない存在というのはちょうど虚空のようなものであり、何かから生じたものでもなく、どこかから出てきたものでもなく、ほかのものへ変わっていくものでもなく、また衰《おとろ》えてゆくものでもない。常に存在するものであり、常にただひといろのすがたをもつものである。菩薩は、この悟りを根底として、すべての人に対すべきである。

二四五—一一—上 もし修行者たちが、わたしの滅後《めつご》において、以上のごとき身のふるまいの心得と対人関係の心得をよく守り、その上でこの教えを説くならば、心が怯《ひる》み弱ることなどさらになく、自信をもって堂々と説くことができよう。

菩薩たちは、時に応じて静寂《せいじやく》な室に入り、教えを正しく憶念《おくねん》し、正しい意味に従って法を観ずる三昧《さんまい》に入らなければならぬ。しかる後禅定《ぜんじよう》より立ち上がり、国王・王子・人民・他教の人びとなどのために、この教えの真意を分かりやすくかみ砕《くだ》き、意味をおし広めて説くならば、その心は常に安らかで、自信に満ち、あるいは怯み、あるいはしりごみすることなどは、さらにないであろう。文殊師利よ。以上のべたことが、菩薩の第一の心得であり、後の世に法華経を説く道である。

「また、文殊師利よ。わたしの滅後の末法《まつぽう》の世においてこの教えを説こうとするならば、次の心得を守って、身も心も安らかに説きなさい。

口で法を説く時も、書物に書かれた教えを読む時も、好んで人の欠点を掘り出したり、経典《きようでん》のあら探しをするようなことがあってはなりません。また、教えを説く他の人たちを軽蔑《けいべつ》する気持をもってはなりません。他人のよしあし、長所・短所などをあげて批判することも、避けなければなりません。

声聞の人たちの過《あやま》ちを、名をあげて非難するようなことがあってはなりません。

かといって、その美点を、名をあげて賞めそやすことも感心できません。また、それらの人びとを敵視する心も起こしてはなりません。

このように、安らかな心で法を説く道を身につけておれば、その教えを聞くすべての人びとは、反抗の気持を起こさず、素直に聞くことでありましょう。もし、そ
二四六―一〇―中
れらの人びとがむずかしい質問をしてくるようなことがあれば、けっして小乗の教えにもとづいて答えてはなりません。必ず大乗《だいじょう》の教えにもとづいて説明し、一切のものごとの平等相《びょうどうそう》と差別相《さべっそう》のすべてを明らかにする智慧を得るように導いてあげることです」

世尊は、さらに偈を説いて、重ねて詳細にお諭《さと》しになりました。

菩薩らよ。常に身も心も安らかな境地において法を説け。清潔な場所に説法《せっぽう》の座を設け、身体《からだ》の汚《けが》れを洗い清め、油を塗《ぬ》り、さっぱりした衣を着、身の内外共に清らかにした上で、ゆったりと法座に坐り、人びとの問いに応じて法を説くがよい。

男女の出家・在家の修行者・国王・王子・その家来たち・一般市民など、さまざまな人が入りまじって聴聞《ちょうもん》している場合は、終始おだやかな態度で、むずか

しい内容をも、胸に落ち、心に染み入るように説かねばならない。もし難問を発してくる者があったら、必ず仏道の本義にもとづいて答えよ。ただし、その本義を、あるいは実例をあげ、あるいは譬《たと》えを引き、さまざまな方法でおし広めて説き、相手の機根《きこん》にふさわしい説き方をすることを忘れてはならない。

このような正しい方法を用い、すべての人びとに最高の悟りを求める心を起こさせ、次第に修行の功徳《くどく》を積み重ねて、ついには仏の悟りを得るように仕向けることだ。怠《なま》け心を起こさず、飽くこともなく、もろもろの憂《うれ》い・悩みより離れ、ただひたすらな慈悲の心をもって法を説け。

昼となく、夜となく、常に最高の悟りに達する道をこそ説け。しかもその至高の教えを、多くの実例にあげ、自由自在な譬えを引き、どのような人にも分かるよう敷衍《ふえん》して説き、すべての人に大いなる喜びを与えよ。衣服《いふく》・寝具《しんぐ》・飲食物《いんしょくぶつ》・医薬等の供養《くよう》を望み求める心があってはならない。ただ一心に、何ゆえに法を説くかという、純粋な目的のみを念頭に置け。すなわち、自らも仏道を成じ、多くの人びとをも同じ境地に達せしめたいとこそ、願わなくてはならない。自らも仏道を成じ、衆生《しゅじょう》にも仏道を成ぜしめることこそ、最大の利益《りやく》であり、身にも心にも安楽をもたらす最大の供養にほかならないのだ。

わが入滅の後も、このような心がけを守って法華経を説くならば、心には嫉《ねた》み・怒りなどもろもろの障《さわ》りがなく、憂いも悲しみもなく、他より悪罵《あくば》・皮肉を浴《あ》びることもなく、排斥・追放の憂き目を見ることもないであろう。なぜならば、その人は忍辱の境地に安住しているからである。

二四八―三―上 智慧ある人が、このように自らの心を取りまとめるならば、必ず安らかに菩薩行を行じうるであろうことは、さきに説いたとおりである。しかも、その人の功徳はまことに無量であって、何ものをもってしてもはかり難く、何ものに譬えても表現することができないであろう。

二四八―六―上 「また、文殊師利よ。仏法《ぶっぽう》が忘れ去られようとする末の世において、菩薩たちがこの教えを信じ、持《たも》ち、学ぼうとするならば、まず他を嫉む気持や、へつらいやこじつけによって、自他を欺《あざむ》く心を起こしてはなりません。仏の悟りを求めて修行する人を、軽んじたり、罵《ののし》ったり、その長所・短所をあれこれ論評したりしてはなりません。出家・在家の修行者たちが、声聞の境地・縁覚の境地・菩薩の境地などを目標としているのを見て、『あなたたちは、本当の悟りからははるかに遠い所をうろついているのだ。結局最高の悟りに達することはできないだろう。なぜならば、お前たちは放逸《ほういつ》であって、本当の道を求めることを怠《おこた》っているからだ』などと言って、それらの人びとを混乱させたり、疑いや不安を起こさせたりしてはならないのです。また、さまざまな教えについて、いたずらに法論《ほうろん》を戦わしたりして争ってはなりません。

二四九—一一上　まさに一切衆生に対しては、心から憐れみを感じ、その苦しみを除いてやろうという大きな願いを起こし、もろもろの仏に対しては、自分のやさしい父であるという思いをいだき、もろもろの菩薩に対しては、自分の大切な先生であるという考えをもたねばなりません。そして、十方の多くの大菩薩に対しては、常に深く敬い、礼拝《らいはい》しなければならないのです。

一切衆生に対して、平等に法を説きなさい。完全に法に従うためには、過不足なく説くことが大切です。深く法を愛する者のために、余計なものまで付け加えて説くようなことも、避けねばなりません。

文殊師利よ。仏法がまさに忘れ去られようとする末の世において、菩薩たちがこの第三の安楽行《あんらくぎょう》である精神のあり方を完全に守ることができるならば、この教えを説く時、何ものもそれを悩ましたり、かき乱したりするものはないでありましょう。

その菩薩たちは、同じ志《こころざし》の、気の合った人びとと共に、この教えを学ぶことができ、また、多くの人びとが教えを聞きに集まってくるでしょう。その人びとは、教えを聞いたらそれをよく信受《しんじゅ》し、よく信受してはよく誦《じゅ》し、よく誦しては人のためによく説き、よく説いてはよく書写《しょしゃ》し、あるいは人にも勧めて書写させ、そしてその経巻《きょうがん》を敬い、尊《とうと》び、心から賞めたたえることでありましょう」

世尊は、今お諭しになったことを、さらに偈によってお説きになりました。

もし、この教えを説こうとするならば、まさに、嫉み・恚り・慢心・諂《へつら》い・誑《こじつ》け・邪心《じゃしん》・偽《いつわ》りの気持を捨て、常に誠実かつ素直な精神をもってするよう、心がけねばならない。

人を軽蔑してはならぬ。いたずらに法論を戦わすこともよくない。また、「お前は仏の悟りなど得られはしない」などと言って、人の心に疑惑や不安を起こさせてはならぬ。

仏の子たる菩薩は、仏の子たるがゆえに、法を説く時は常に柔和に、いかなる困難をもよく忍び、一切衆生に対しては慈悲心をいだき、自らの心には怠りの心を生ぜしめてはならぬ。

十方の大菩薩は、多くの人を憐れむ慈悲心のゆえに、仏道を行じておられる。これらの大菩薩に対しては、あの方々こそわが指導者であると、深く敬い尊ばねばならぬ。

もろもろの仏に対しては、常に無上の父であるとの思いをいだくこと。そして、憍慢《きょうまん》の心を捨て、ただ謙虚に法を説け。さらば、何の障害もなく説くことができるであろう。

第三の法とは、以上のごとき心得である。智慧ある人は、この心得を守るべきである。こうして意《こころ》安楽に法を説けば、無数の大衆に敬われるであろう。

「また、文殊師利よ。仏法が忘れ去られようとする末の世において法華経を受持《じゅじ》する菩薩は、在家・出家の人びとに対して、その人びとの幸せを願う大きな心を持たなければなりません。そして、自らの完成のためにのみ仏法を学び、世の人のために仏法を広める努力をしない人びとに対しては、大きな憐れみの心を起こして、次のように決意しなければなりません。

『このような人たちは、仏の方便《ほうべん》・随宜《ずいぎ》の説法の真意すなわち法華経の神髄を知らないのだ。それを聞こうともしないし、したがって悟ることもない。たずねようともしないし、したがって信ずることもない。しかし、たとえ今はこの法華経の教えを聞かず、信ぜず、理解しなくても、もし自分が最高の悟りを得た暁《あかつき》には、どんな土地にいようとも、神通《じんづう》と智慧の力をもってそのような人たちを導き、この教えに入らせてあげずにはおかないのだ』と。

文殊師利よ。如来《にょらい》の入滅《にゅうめつ》後の世において、菩薩がこの第四の心得である衆生教化《きょうけ》の誓願に徹するならば、法華経の教えを説くに際して過ちをおかすことはありますまい。常に出家・在家の修行者や、国王・王子・大臣や、一般大衆や、他教の宗家や、信仰篤《あつ》い長者たちに供養され、敬われ、賞めたたえられるでありましょう。

天上に住む神々も、その教えを聞くために、常にその菩薩のそば近くにいて、離れることはありますまい。また、村里にいる時も、町や都にいる時も、人気のない場所や林の中にいる時も、神々は常にかれの側を離れず、もしある人がむずかしい質問をもちかけてきても、神々は法のため昼夜にかかわらずその菩薩を守護し、聞く人びとがじゅうぶん満足し、感銘し、喜びを覚えるように、陰から力を添えてくださるでしょう。なぜならば、この経は、過去・現在・未来のあらゆる仏の神力《じんりき》によって護《まも》られている教えであるからであります。

文殊師利よ。この法華経は、無数の国々のいずれにおいても、その名さえ聞くことの希な教えであります。まして、それにめぐり遇うことは、なおさらむずかしく、さらにそれを受持し、読誦《どくじゅ》するようになるのは、もっとむずかしいことであります。

二五一—一二—上 文殊師利よ。たとえば、ここに非常に勢力のある大王があって、周りの国々をその威光《いこう》に従わせようと試みたとしましょう。しかも、それらの小国の王たちが、大王の命令に服従しなかったとしましょう。すると、大王はさまざまな軍隊を送って、つわものどもを討伐《とうばつ》します。

それらの戦いの手柄を立てた将士《しょうし》を見ると、王は大いに喜んで、功績に応じて賞を与えました。あるものには田畑を、あるものには家屋を、あるものには村を、あるものには都市を与えました。また、衣服や、装身具や、金《きん》・銀《ぎん》・瑠璃《るり》・硨磲《しゃこ》・碼《め》ど与えられたものもあり、象《ぞう》・馬《うま》・車《くるま》や駕《かご》・奴隷《どれい》・人民などを与えられたものもあります。

しかし、王の髪のまげに結《ゆ》い込めてある素晴らしい宝玉だけは、なかなか与えませんでした。なぜならば、その宝玉だけが、王の頭上にあるものだからです。至上の秘宝であるからです。もしこれを与えたならば、もらった人も、ほかの家来たちも、びっくりし、当惑するばかりでありましょう。如来はちょうどこの王のようなものであり、法華経はちょうどこの宝玉のようなものであります。

如来は、禅定と智慧の力をもって法の国土を領している、三界《さんがい》の王であります。ところが、もろもろの魔王すなわち人間のさまざまな煩悩《ぼんのう》はなかなか根強く、如来の教えに反抗を続けるのです。王に仕える将軍とも言うべき仏弟子《ぶつでし》の皆さんは、それらの魔王を征服《せいふく》するために戦いました。

その奮戦《ふんせん》のありさまを見ると、如来は本当に心うれしく思い、皆さんのためにさまざまな教えを説いて、その心を励まし、喜ばせてあげたのです。そして、その奮戦の賞として、精神が安定して動揺しない境地や、人生苦から超越した境地や、煩悩を除き尽くす根本となる信心・精進《しょうじん》の力を得た境地など、さまざまな教えの宝を与えました。また、すべての苦悩を滅した安らかな心境を与え、これが人間の理想の境地であるとして皆さんの心を引きつけ、法悦《ほうえつ》を味わわせてあげました。しかし、この法華経だけは、まだ説かなかったのです。

文殊師利よ。もし将士の中で、他にくらべもののないような大手柄を立てたものがあれば、大王は大いに喜んで、長いあいだ髪のまげの中に秘めて、めったなことでは人に与えなかった、信じ難いほどの値うちのある宝玉を、その勇士に与えるでありましょう。如来も、その大王と同じであります。

二五三―二―下　如来は三界の中の法の王であり、法をもってすべての人びとを教化するものであります。すぐれた仏弟子たちが、心身の環境にもとづく魔や、精神作用にもとづく魔や、死をもたらす魔と戦って、それを征服し、貪《むさぼ》り・瞋《いか》り・痴《おろか》さという人間を毒する三つの魔を滅ぼし、魔の網の張りめぐらされた迷いの世界から抜け出ることができたことを見極めた時、如来は大いに喜んで、この法華経を説くのであります。

法華経は、すべての人びとに、この世の一切のものごとの実相《じっそう》を知る智慧を与える教えでありますが、しかし、世間の人びとに強い反感や抵抗感を持たせるおそれがあり、なかなか信受されることのむずかしい教えであるために、今までかつて説

いたことはありませんでした。それを、今こそ皆さんのために説くわけでありま
す。

二五三―七―上
文殊師利よ。この法華経は、如来のすべての教えのうちで最高の教えであり、最も奥深いものであります。この教えをこうして最後に説き示すのは、ちょうど、あの威力ある大王が長いあいだ秘蔵《ひぞう》していた宝玉を、最後に与えるのと同じことであります。

文殊師利よ。この法華経は、もろもろの仏が最も大切にしておられる奥義の教えであります。すべての教えの中で最上のものであります。諸仏《しょぶつ》が長いあいだ心の中にしっかりしまっておかれて、めったにお説きにならない教えであります。それを、今日はじめて皆さんのために、分かりやすくおし広めて説いているのです」

ここで世尊は、今お説きになった説法の内容を、偈によって重ねてお説きになりました。

菩薩たちよ。環境に影響されぬ強い忍耐心《にんたいしん》を常に持ち、この世に存在する一切のものを哀愍《あいみん》する心を持って、諸仏の賞めたもうこの教えを説き広めよ。

後の末世《まっせ》において、この経を受持するものは、在家・出家を問わず、この教え

を知らぬ人びとに、あるいは知っても実践せぬ人びとに対し、慈悲の心を起こさねばならない。そして、「この人びとは、法華経の教えを聞いたことがなく、あるいは聞いても信じようとしない。何ものにも換《か》え難い損失だ。わたしは必ず仏道を得、さまざまな方便《ほうべん》を用いてこの教えを説き、これらの人びともこの教えにもとづいて人生を生きるよう、ぜひ導いてあげねばならぬ」という決意を起こすべきである。

たとえば、威力ならぶものなき大王が、戦いに功を立てた将士に対し、象・馬・車・装身具・田畑・家屋・村落・都市などを賞として与え、また、貴重な衣服・種々の珍宝・奴婢《ぬひ》・財物を下賜し、特に勇敢に難事を成し遂げたものには、髪のまげに結い込めた至上の宝玉を惜しげもなく与えるであろう。如来もこの大王と同じ賞賜《しょうし》をなすものである。

二五四—九—上 如来はすべての教えをつかさどる王。大いなる忍辱の力と、豊かなる智慧と、広大なる慈悲心を持ち、教えによって世を支配し、善導するものである。

一切の人間がもろもろの苦悩を受け、その苦悩からの解脱《げだつ》を求めて内外の魔と戦うのを見ては、如来は偉大なる方便の力を駆使《くし》して、さまざまの教えを説く。かくして、衆生が信仰の素地を堅固につくり上げたと見極めた時、最後にこの法華経を説くのである。それは、あたかも大王が髪のまげにしっかと結い込めた明珠《みょうしゅ》を解き、最高の勇士に与えるのと同様である。この教えは、すべての教えの中で最上のものであり、わたしは常に心の奥に秘めて、みだりに説き明かすことをしなかった。しかし、今こそ時である。機は熟《じゅく》した。ゆえに、かくはそなたたちのために説くのである。

わが入滅の後の世において、仏の悟りを求めるものが、身も心も安らかにこの教えを説き広めようとするならば、以上に述べた四つの心得を身につけているべきである。この四つの安楽行を完全に行いつつ法華経を読誦するものは、常に憂いも悩みもなく、病《やまい》も痛みもなく、顔貌《がんぼう》も気品高くなるであろう。現実的にも、精神的にも、苦しい境遇に生まれることはないであろう。世の人びとは、あたかも賢聖を慕うがごとく、この人を見ることを願うであろう。天上のもろもろの童子たちも、この人に仕え、喜んで日常の用を足すであろう。

あるいは刀杖《とうじょう》をもってこの人に迫害を企《くわだ》て、あるいは毒をもって害しようとするものがあっても、すべて不可能であろう。もしこの人を憎しみ罵るものがあったならば、その口はたちまち閉塞《へいそく》するであろう。

その人は、どこへ行っても、どんな環境に置かれても、常に心が自由自在であることは、あたかも百獣《ひゃくじゅう》の王たる獅子が林中を闊歩《かっぽ》するがごとくであろう。また、その智慧の明晰《めいせき》なることは、あたかも太陽の光のごとく、あらゆる迷いの暗黒《あんこく》をうち破るであろう。

二五五―一〇―上
四安楽行を守って法華経を説く人は、夢にも至妙《しみょう》なる光景を見るであろう。たとえば、もろもろの仏が美しい説法台に坐せられ、多くの比丘たちに囲まれながら、教えを説かれるさまを見るであろう。また、自分自身が説法台に坐し、無数の生あるものがうやうやしく合掌《がっしょう》する中で、かれらのために法を説く姿を見るであろう。

また、輝く黄金のごとき身相《しんそう》の諸仏が、無量の光を放ってこの世の一切を照らし、清らにも美しい音声をもってさまざまな教えを説かれるのを見、とりわけ、至高の真理たる法華経を説かれるのを見ることもあろう。

その夢の中で、おのれ自身はどうしているかと言えば、うやうやしく合掌してみ仏を礼《らい》し、たたえ、教えを聞いては大いなる喜びを覚え、心からみ仏に供養するのである。法を記憶して忘るることなく、あらゆる善をすすめ、あらゆる悪をとどめる力を体得し、減退することのない尊い智慧を成就《じょうじゅ》するのである。み仏は、その心が深く仏の悟《さと》りの道に入っていることを知ろしめされ、必ずその悟りを完成するであろうと保証されて、次のようにおおせられるであろう。

「そなたは、将来、無量の仏の智慧を得、大いなる仏の道を成就するであろう。その教化する国土は清く、美しく、広大なことはくらべるものもなく、そこには多くの在家・出家の修行者があって、合掌しつつそなたの教えを聞くであろう」と。

また、自分自身が深山の林中で正しい法を修行し、すべてのものごとの実相を悟り、深く禅定に入って、十方の仏を見たてまつるところを、夢に見るであろう。

黄金の輝きを放ち、あらゆる福徳の相《そう》を美しく身に具《そな》えられたみ仏に教えを聞き、その教えをまた多くの人のために説く……このような妙《たえ》なる夢を常に見るであろう。

また、次のような夢を見ることもあろう。身は国王と生まれながら、宮殿をも、一族や家来たちをも、また思いのままの享楽《きょうらく》をも捨てて、道を修行する場所に赴《おもむ》き、菩提樹《ぼだいじゅ》のもとの師子座《ししざ》に坐り、悟りを求むること七日、ついに諸仏の悟られた智慧を得、無上の悟りを成就し、衆生のために立ち上がり、無量の年月《としつき》、多くの民衆のために法を説き、最後にあらゆる迷いを除き尽くす至上の教えを説き、無数の衆生を救った後、あたかも油の尽きた灯が消えるがごとく、自然に、安らかに、この世の生を終わる……このような夢である。

もし、後の世の険悪な時代に、仏の第一の教えであるこの法華経を説くならば、その功徳はいま縷々《るる》のべたごとくであろう。

大地から涌き出た菩薩たち（従地涌出品第十五《じゅうじゆじゆっぽん》）

その時、他の方々の国土から来ていた無数の菩薩《ぼさつ》たちが、大衆《たいしゅう》の中から立ち上がり、合掌《がっしょう》して仏さまを礼拝《らいはい》して、申し上げました。

「世尊《せそん》。もしわたくしどもが、世尊のご入滅《にゅうめつ》後にもこの娑婆世界《しゃばせかい》にとどまり、ますます修行《しゅぎょう》に精進《しょうじん》してこの教えを護持《ごじ》し、読誦《どくじゅ》し、書写《しょしゃ》し、供養《くよう》することをお許しくださいますならば、わたくしどもは、この教えを娑婆世界に説き広めようと存じますが、いかがでございましょうか」

それをお聞きになった仏さまは、言下にお答えになりました。

「善男子《ぜんなんし》たちよ。お志《こころざし》は有難いが、お断りします。あなた方が娑婆世界でこの教えを護持してくださる必要はありません。なぜならば、この娑婆世界にはもともと無数の菩薩がおり、その菩薩がそれぞれ無数の弟子たちを持っています。その人たちが、わたしの滅後《めつご》によくこの教えを護持し、読誦し、説き広める役目を果たしてくれるからです」

仏さまがこうおおせられますと、その瞬間、娑婆世界全体の土地に無数の割れめができ、その中から、みるみる何千万億とも知れぬ菩薩が涌《わ》き出してきました。これらの菩薩は、みんなからだが金色《こんじき》に輝き、三十二の吉相《きっそう》を具《そな》え、えも言われぬ光明《こうみょう》を放っています。この菩薩たちは、はるかな昔から、娑婆世界の下の虚空《こくう》に住していたのですが、釈迦牟尼仏《しゃかむにぶつ》が自分たちに教化《きょうけ》を任《まか》せるとおおせられたみ声を聞いて、この世界に現れいでたのであります。

それらの菩薩は、すべて、多くの人びとのさきに立って、大衆を教え導く指導者であります。多くの菩薩は、それぞれガンジス河の砂の数の六万倍もの弟子たちを率《ひき》いています。また、ガンジス河の砂の数の五万倍・四万倍・三万倍・二万倍・一万倍の弟子たちを率いている菩薩は、もっと多いのです。また、ガンジス河の砂の数と同じくらい、もしくはその半分・もしくは四分の一から千万億那由他分《なゆたぶん》の一までの弟子を率いている菩薩は、もっともっと多いのです。ましてや、千万億那由他の弟子を率いる菩薩はもっと多く、一億人の弟子を率いるものはさらに多く、千万人・百万人から一万人までの弟子を率いるものはさらに多いのです。ましてや、千人・百人・十人の弟子を率いるものはさらに多く、五人・四人・三人・二人・一人の弟子を率いるものはさらに多いのです。これまでただ一人で煩悩《ぼんのう》から離れた生活を楽しんでいた菩薩は、もっともっと多いのです。このように、地涌《じゆ》の菩薩の数はまことに無数であって、数えることもできないし、譬《たと》えによってあらましを知ることもできないほどでありました。

二五九―一〇―下
この菩薩たちは、地から現れ出ますと、虚空へ浮かび上がって、七宝《しっぽう》の美しい大塔の中におわします多宝如来《たほうにょらい》と釈迦牟尼如来のみもとに詣《もう》でました。そして、二世尊のみ足に額《ひたい》をつけて礼拝しました。それから、無数の宝樹の下の師子座《ししざ》に坐っておられる分身《ふんじん》の諸仏《しょぶつ》のみもとにも詣でて礼拝し、その周りを右回りに三回めぐってから、合掌して恭敬《くぎょう》の心を表し、菩薩として仏を賞めたたえるさまざまの方式で賛嘆申し上げ、それが終わると、一方に坐って、法悦《ほうえつ》にひたりながら二世尊をじっと仰《あお》ぎ見ていました。

こうして、地から涌き出した菩薩たちが仏さまをさまざまに賛嘆申し上げている間に、五十小劫《しょうこう》というたいへん長い時間が経ちました。その間、釈迦牟尼仏は黙然《もくねん》としてお坐りになっておられました。その会《え》に集まっていた出家《しゅっけ》・在家《ざいけ》の修行者たちも、黙然として菩薩の賛嘆を聞いておりました。一同は五十小劫もの年月《としつき》を、半日ぐらいにしか感じませんでした。仏さまの神力《じんりき》によって、そう感ぜしめられたのでありました。

その出家・在家の修行者たちは、仏さまの神力のおかげで、二六〇—八—中 無数の地涌の菩薩が虚空に充ち満ちているのを見ることができたのですが、その菩薩方の中に四人の導師がおられました。第一の菩薩を上行《じょうぎょう》と言い、第二の菩薩を無辺行《むへんぎょう》と言い、第三の菩薩を浄行《じょうぎょう》と言い、第四の菩薩を安立行《あんりゅうぎょう》と言います。この四菩薩はもろもろの菩薩の最上位にあり、先頭に立ってみんなを導いていく指導者であります。四人の大菩薩は、大衆の仰ぎ見る前で、おのおの釈迦牟尼仏に向かって合掌し、ご機嫌《きげん》うかがいのご挨拶《あいさつ》を申し上げました。

「世尊におかせられましては、おからだはご丈夫でいらっしゃいましょうか。ご機嫌よろしく、ご無事にお過ごしでございましょうか。教化なさいます人たちは、理解力がすぐれ、み教えを素直に受け取って、世尊にご苦労をおかけするようなことはございませんでしょうか」

四大菩薩は、重ねて偈《げ》によって、ご挨拶申し上げました。

世尊は、ご息災《そくさい》でおからだもお元気に、ご機嫌うるわしくいらっしゃいましょうか。衆生《しゅじょう》を教化なさいますのに、お疲れはございませんか。もろもろの衆生はよく教化を受け、世尊にご苦労をおかけしたりすることはございませんか。

そのご挨拶をお聞きになった世尊は、もろもろの菩薩たちにお答えになりました。

「そのとおりです。そのとおりです。善男子よ。わたしは無事息災で、健康もすぐれ、心配ごともありません。もろもろの衆生も、素直にわたしの教えを聞き、理解力もすぐれていて、たいへん教化しやすいのです。それゆえ、教化のために疲れるようなことはありません。

なぜ教化しやすいのかと言えば、このもろもろの衆生は、はるかな前世《ぜんせ》からずっとわたしの教化を受けているからです。また、過去の諸仏のみもとにもお仕えし、帰依《きえ》と感謝のまことをささげ、尊《とうと》び崇《あが》め、さまざまな美徳の根を育ててきたからです。過去世《かこせ》において、そんな準備が整っていたればこそ、この世においてわたしにめぐり遇い、わたしの教えを聞いただけで、たちまちその教えをすらすらと信受《しんじゅ》し、如来の悟《さと》りの道へ入ることができたのです。ただ、この世で、初めに小乗《しょうじょう》の教

二六一—七—中

えを学んで、それで十分だと思い込んでいる人びとは例外です。わたしは、その例外の人びとをも、この法華経《ほけきよう》の教えによって、仏の智慧《ちえ》を得る道に入らせようとしているわけです」

それをうかがった大菩薩たちは、偈を歌って、申し上げました。

ああ、まことに有難いことでございます。世にすぐれた大指導者の世尊が、もろもろの衆生は教化しやすいとおおせられるとは。

もろもろの衆生が、諸仏の甚深《じんじん》の智慧についておたずねし、教えられればすなわち信受・理解してしまったとは。

われわれも、言い知れぬ喜びをもって、世尊に帰依したてまつります。

それをお聞きになった世尊は、四人の指導者的大菩薩たちに、お賞めの言葉をたまわりました。

「よろしい。よろしい。善男子たちよ。そなたたちは、よくぞ心の底から喜んで如来に帰依する心を起こしてくれました」

そのありさまを拝していた、弥勒菩薩《みろくぼさつ》をはじめとする多くの菩薩たちは、一様に、次のような不審《ふしん》の念を起こしました。――自分たちは仏さまにずっとお仕えしてきているけれども、このような大菩薩が大地の中から涌き出して、世尊のおん前で合掌し、感謝と帰依のまことをささげ、ご挨拶申し上げるようなことを、聞いたことも見たこともない。いったい、これは、どういうわけなのだろう――と。

その時、弥勒菩薩は、多くの菩薩たちの心の中の思いを察知し、また、自分自身の疑念をも解決しようと考えましたので、合掌しながら偈を唱えて、仏さまにおたずね申し上げました。

この無数の菩薩方は、遠い昔から今まで、かつてお目にかかったことのない方々ばかりでございます。世尊よ。どうぞお教えください。この菩薩方は、どこから来られたのでしょうか。どういうわけがあって、お集まりになったのでしょうか。皆さんが、身は巨大に、しかも大神通力《だいじんづうりき》をもっておられます。その智慧も、われわれの考え及ぶことのできぬほど広大なもののように思われます。また、堅固《けんご》な意志力と、強い忍耐力と、大きな包容力を兼ね具えておられるようにお見受けします。まこと、この世のすべての人がお目にかかりたいと渇望《かつぼう》するような方々でありますが、いったい、どこからおいでになったのでしょうか。

それぞれの菩薩が率いられる弟子たちは、あたかもガンジス河の砂のように無数であります。ある大菩薩は、ガンジス河の砂の数の六万倍の弟子を引き連れておられます。その無数の弟子たちは、一心に仏の悟りを求めているのです。そして、師の大菩薩と共にこの国に来て、仏さまを供養し、この教えを護持しています。

ガンジス河の砂の数の五万倍の弟子たちを引き連れた大菩薩は、もっとおおぜいおられます。これからだんだんにくだって、ガンジス河の砂の数の四万倍・三万倍・二万倍・一万倍・千倍・百倍の弟子たちを引き連れた菩薩や、ガンジス河の砂の数ほどの弟子・その半分ほどの弟子・その三分の一・四分の一から億万分の一・千万那由他分の一の弟子を引き連れた菩薩や、万億人から二分の一億人までの弟子を引き連れた菩薩は、さらにさらにたくさんおられます。百万人から一万人まで、また、千人から百人まで、もっとくだって五十人から十人まで、そして三人・二人・一人の弟子を引き連れた人はさらに多く、単身で弟子を連れず、ひとり修行を楽しんでいる菩薩で、一同と共に仏さまのみもとにまいった人は、さらにさらに数多くあります。

このような菩薩がどれだけおおぜいいるかは、もし、ある人が計算の道具を使って、ガンジス河の砂の数ほどの年月数え続けても、数え尽くすことはできますまい。素晴らしい威徳をもち、正しい努力を尽くしているこのたくさんの菩薩方は、いったい、だれがこの方々のために法を説き、教化して、このようなりっぱな菩薩に育て上げられたのでしょうか。この菩薩方は、いったい、どなたに従って発心《ほっしん》し、どの仏さまの教えに共鳴・感嘆し、どのお経を信じ、実践し、どの仏さまの教えられた道を習って、身につけたのでしょうか。

このもろもろの大菩薩は、素晴らしい神通力と、大きな智慧の力をもっておられるようにお見受けいたします。そのことは、四方の大地が震《ふる》え裂け、その中から涌き出して来られたことでも分かります。世尊。わたくしは昔から今まで、このような事実を見たことはございません。どうぞ、この菩薩方の所属される国土の名前をお教えくださいませ。わたくしは、いつもよく諸国を行脚《あんぎゃ》いたしますが、まだこんなことを見たためしはございません。

また、この菩薩方のうち、お一人として、わたくしの知った方はおられません。忽然《こつぜん》として地から出て来られた、未知の方ばかりでございます。どうぞ、どういう因縁《いんねん》で来られたのか、そのわけをお教えくださいませ。ここに集まっております多くの菩薩たちも、みんなそれを知りたいと願っております。必ずや本来の原因と、こういう結果が現れるべき条件があることと考えられます。量り知れぬ徳を具えられる世尊、どうぞお願いでございますから、一同の疑問を解決してやってくださいませ。

その時、無数の他の国からそこにお集まりになっておられた釈迦牟尼仏の分身の諸仏は、周りを取り囲む美しい木々の下の師子座の上に坐禅を組んでおられましたが、その分身の諸仏に従う菩薩たちも、おおぜいの菩薩が世界中の大地を裂いて現れいで、虚空にとどまっているのを見て、それぞれお仕えしている仏さまにおたずねいたしました。

「世尊。この無数の菩薩方は、いったいどこから来られたのでしょうか」と。

二六五—一—中 分身の諸仏は、その問に対して、それぞれ次のようにお答えになりました。

「善男子たちよ。しばらく待ちなさい。娑婆世界に一人の菩薩がおります。名を弥勒と言います。この菩薩は、釈迦牟尼仏から、必ず仏の悟りを得るであろうと保証されている人です。釈迦牟尼仏の次に、娑婆世界で仏となられる人です。その弥勒菩薩が、同じ質問をしています。仏さまは、今すぐそれにお答えになるでしょう。みんなも、そのお答えを聞けば、すべてが分かります」

その時、釈迦牟尼仏は、弥勒菩薩におおせになりました。

「よろしい。阿逸多《あいった》よ。よくぞこの重大事について聞いてくれました」

そして、もろもろの菩薩たちに向かって、

「皆さんは、すべて、まじりけのない心をもって真理を究めようという決意をもち、教えられたことは必ず信じて疑うまいという堅い覚悟をもたねばなりません。わたしはこれから、諸仏の自由自在な神通力と、全力をふるう師子王のごとき強大な力と、あらゆるものを感化せずにはおかぬその徳の力を、はっきりと現し、説き示すことにしましょう」と、お告げになりました。

世尊は、今おおせられたことを、さらに偈によってお説きになりました。

菩薩らよ。ひたすら純粋な心になるがよい。わたしは今みんなの質問に答えるが、けっして疑惑をいだいてはいけない。仏の智慧には、常識では判断できぬものがある。みんなは、ただ信の力を起こし、精神を統一し、わたしの言葉を聞くことに専念せよ。

みんなは、昔から今まで聞いたことのない法を、これから聞こうとしているのだ。わたしはこの法を説くことによって、みんなの心を真の平安に導こう。何を聞いても、疑いや恐れを懐《いだ》いてはならない。仏は真実に反することは絶対に言わない。仏の智慧は、普通の人では量り知れぬ広大さを持つ。仏の悟った最高の法は、まことに深遠で、理解し難いものだ。しかし、その法を今こそ明らかにしよう。みんな一心に聞くがよい。

世尊は、この偈を説き終わられますと、あらたまった重々しい口調で、弥勒菩薩を代表とする全菩薩に向かってお告げになりました。

「今こそ、わたしは大衆の皆さんの前で宣言します。阿逸多よ。大地から涌き出したこれらの無数の菩薩たち、皆さんが今までかつて見たこともないこの菩薩たちは、実はわたしがこの娑婆世界において仏の悟りを開いてから、教化し、指導し、その心を調《ととの》えて仏法《ぶっぽう》に服せしめ、最高の悟りを得ようという志を起こさしめた人たちであります。

二六六―八―中
この菩薩たちは、皆この娑婆世界の下の虚空に住しており、もろもろの仏の教えをよく学び、精通《せいつう》し、思索《しさく》し、細かく知り分け、そしてしっかりと記憶しているのであります。阿逸多よ。これらの菩薩たちは、多くの人たちに立ちまじって説法《せっぽう》をすることを、あまり好みません。常に静かな場所にいて修行に励むことを願い、一心に努力して、休息することがありません。また、他の人間とか、天の神々とか、そういった他の存在を依り所とし、他を頼りにすることがありません。常に深遠な智慧を求め、その妨《さまた》げとなる思いを起こすことなく、また常に諸仏と同じ法を悟ることを望み、無上の悟りのために一心に努力して、怠《おこた》ることがありません」

世尊は、重ねてその意を偈によってお説きになりました。

阿逸多よ。知るがよい。このもろもろの大菩薩は、はかりしれぬ過去からずっと仏の智慧を学び修めてきたのだ。しかも、ことごとくわたしが教化して、仏の悟りを求むる大志を起こさしめたのだ。

この菩薩たちは、わたしの法の子だ。この娑婆世界に属する人たちだ。しかも、常に清浄《しょうじょう》な生活を送り、世間のざわめきを離れて静寂にいることを喜び、多く説くことを好まない。わたしの教えの道を学びつつ、昼夜純粋な努力を続けている。しかも、仏の悟りを求めるがゆえに、娑婆世界を離れず、その下方の空中に住していたのだ。

志をつらぬく念力は堅く、常に仏の智慧を求めて努力を重ね、法を説くとなれば、恐れはばかることなく、至上の教えを説くのだ。わたしが伽耶《がや》の都のほとり、菩提樹下《ぼだいじゆげ》に坐して三昧《さんまい》に入り、ついに仏の悟りを成就《じようじゆ》した後、この菩薩らに無上の教えを説いて教化し、初めて仏道《ぶつどう》を求める心を起こさしめた。それが今は、もはや後退することのない、大菩薩の境地に到達している。将来、みな必ず仏の悟りを得るであろう。わたしは今こそ真実を述べよう。みな心を純一にして、わたしの言葉を信ずるがよい。わたしは、はるかな昔からこのかた、常にこの菩薩を教化しているのだ。

その時、弥勒菩薩は、その会《え》に集まっていたもろもろの菩薩たちが、心の中にかつてない大きな疑惑を生じ、「どうして世尊は、そのような短い年月の間に、この無数の大菩薩方を教化され、仏の悟りを得る資格者にまで育て上げられたのだろう」と考えはじめたことを、察し取ったのでした。

そこで、弥勒菩薩は仏さまにおたずね申し上げました。

「世尊。世尊がまだ太子でいらっしゃった時分、釈迦族の王宮をお出になり、伽耶城からほど遠からぬ求道《ぐどう》の場にお坐りになって、ついに仏の悟りをお開きになったことは、前々からうかがっております。その時から今まで、わずか四十年余りが過ぎたばかりでございます。世尊。この短い期間に、どうして、このような偉大な事業を成し遂げられたのでございますか。仏さまの大きなお力のせいでしょうか。それとも、仏さまの大きなお徳のせいでしょうか。どんなにして、このような無数の大菩薩方を教化して、まさに仏の悟りを得るばかりの境地にまでお導きになったのでしょうか。

世尊。この大菩薩方は、ほとんど無数であり、ある人が千万億劫《のっこう》のあいだ数えたとしても数え尽くすことはできず、際限に達することはできますまい。この方々は、はるかなる昔から、数限りない諸仏のみもとに仕え、もろもろの善行《ぜんこう》をなすことによって善根《ぜんこん》を育て、菩薩の道を完全に行い、常に清らかな修行を続けてこられた人たちとお見受けいたします。それにもかかわらず、世尊がご成道《じょうどう》後に教化されたとおおせられるのは、まことに腑《ふ》に落ちないのでございます。

二六九—一一—中

たとえば、ある人があって、顔色は若々しく、髪は黒く、年は二十五歳であったとしましょう。その人が百歳の老人を指さして、『これはわたしの子です』と言い、またその老人もその若者を指さして『これはわたしの父です。わたしを育ててくれた人です』と言ったとしましょう。それはとうてい信じることはできますまい。仏さまのおおせも、それと同様に思われます。仏の悟りを成就なさいましてから、それほど長くは経っておりません。ところが、この大菩薩方は、すでに何千万年も前から仏道を求めて一心に修行に努め、さまざまの三昧に入ることも、それから出ることも、それにとどまることも自由自在となり、大きな神通力を得、また長いあいだ清らかに身を保つ修行を続け、よくもろもろの善い教えを身につけ、教えについての質問にも自由自在に答えることができ、人間の中の宝として、世間でも希《まれ》な人物である方々と見受けられます。

二六九―八―上
　いま世尊は、世尊が仏の悟りを得られた後にこの大菩薩方に菩提心《ぼだいしん》を起こさせ、教化・指導して、仏の悟りに近づけられたとおおせになりました。世尊が仏の悟りを得られてから、まださほど長い年月が経っていませんのに、このような大功徳《だいくどく》を実現されたのでございます。

　わたくしどもは、人に応じ場合に応じて適切な教えをお説きになる仏さまの教えも、仏さまのどのようなお言葉も、けっして嘘《うそ》やでたらめではないことを、全面的に信じておりますし、仏さまのお言葉の奥に深いみ心が秘められていることもよく分かっております。けれども、もし仏道を求める心を起こしたばかりの初心の菩薩が、しかも仏さまがおかくれになってからこういうお言葉を聞けば、あるいはそれを信ずることができず、その不信が教えを害《そこな》う行為の原因となることがあるかもしれません。

世尊。どうぞ、このことについて詳しくご説明くださり、わたくしどもの疑念を解消してくださいませ。また、未来世《みらいせ》の信仰者たちも、そのご説明をうかがいますれば、疑惑を起こすことはございますまい」

その時、弥勒菩薩は、その意味を重ねて偈に歌って申し上げました。

み仏はもと釈迦族の太子。出家ご修行の後、伽耶近くの菩提樹下に、仏の悟りを成就されました。それからこのかた、年月はさほど経っておりません。ところが、み仏の育てられたこれらの大菩薩は、その数量り知れず、しかも久しく仏道を修行し、大いなる神通と智慧の力を、身につけておられます。よく菩薩の道を学び、世間の汚《けが》れに染まぬそのおすがたは、あたかも泥水に咲く蓮《はす》の花のごとく、それのみか、忽然と地中から出現され、たちまちみ仏を恭敬する心を起こされ、おん前につつしんでおられます。このことは、どう理解してよいか、考えようがございません。どうしてこのまま信じられましょう。み仏が至上の悟りを得られたのは、いわば最近のこと。しかも、このような大菩薩を、無数に教化されました。この考えようもない事実について、どうぞ分かりやすく説き、大衆の疑いをお解きくださいませ。

たとえば、ようやく二十五歳となった若者が、髪白く、皺《しわ》の波寄る老人を「これはわたしの実の子だ」と言い、その老人は若者を「わたしの父だ」と言ったとしましょう。父が若く、子が老いている。世の人はそれを信じましょうか。世尊とこれらの大菩薩の間柄も、それと同様でございます。世尊が仏道を成就されたのは、ごく最近のこと。しかもこの大菩薩方は、仏道を求める志堅く、心の弱さなど微塵《みじん》もなく、はるかな前世より菩薩の道を修行してこられたこと必定《ひつじょう》。難問《なんもん》にも自由自在に答える能力を具え、何ものをも恐れはばかることなく、外部の力に影響されぬ不動の心を持ち、その相貌《そうぼう》は気品に満ち、人を感化せずにはおかぬ徳相明らかに、まこと十方の諸仏に賞賛さるべき方々。教えを説くにも、相手に応じて巧《たく》みに説き分ける、世にもすぐれた能力の持ち主ながら、人中《ひとなか》にまかり出るのを望まず、常に好んで禅定《ぜんじよう》に入り、仏の悟りを求めるがゆえに、娑婆世界の下の空中に住されるという、まことに尊い菩薩と承りました。

わたくしどもは、長らくみ仏にお仕えし、親しく教えをうかがっておりますゆえ、このような不思議に対しても、決定的な疑惑を持つものではありません。しかし、未来世の人びとは条件が違います。なにとぞ、それらの人びとのため、このことについて詳しくお説きくださり、理解を開かせてくださいませ。未来世の人びとが、この教えに疑いをいだいて信ぜぬようなことがあれば、悪道に堕《お》ちる恐れがあります。なにとぞ、今のうちに教えておいていただきとう存じます。

世尊。この無数の菩薩を、どのようにして、しばしの間に教化され、仏道を求める心を起こさしめ、後退することのない不動の境地にまで導かれたのでしょうか。

庭野日敬《にわの にっきょう》

明治三九年、新潟県に生まれる。

立正佼成会開祖。

宗教協力を提唱し、新日本宗教団体連合会理事長、世界宗教者平和会議国際委員会会長などをつとめる。

平成一一年、入寂。

著書
『法華経の新しい解釈』
『新釈法華三部経』(全10巻)
『仏教のいのち法華経』
『庭野日敬法話選集』(全8巻)
『この道』
『瀉瓶無遺』
『人生、心がけ』
『人生、そのとき』
『人生の杖』
『もう一人の自分』
『見えないまつげ』ほか多数。

現代語の法華経 ワイド版2

昭和四九年 三月一五日 初 版第一刷発行
平成 二 年一一月一五日 改訂版第 一 刷発行
平成二九年 五 月一〇日 改訂版第一二刷発行
令和 二 年 三 月 五 日 新装版第 一 刷発行
令和 四 年 一 月一五日 新装版第 二 刷発行

著 者 庭野日敬
発行者 中沢純一
発行所 株式会社佼成出版社
〒一六六―八五三五
東京都杉並区和田二―七―一
電話 〇三(五三八五)二三一七(編集)
〇三(五三八五)二三二三(販売)
URL https://kosei-shuppan.co.jp/
印刷所 小宮山印刷株式会社
製本所 株式会社若林製本工場

ISBN978-4-333-00705-9 C0015